【在日(日本人名)】による日本

ステルス支配の構造

GHQが始めた究極の乗っ取り

[著] 飛鳥昭雄

目次

第1部
消えゆく日本人へ消えてほしくない飛鳥昭雄が「生き延びよ、日本人」と最終警告を発信する!

第2部

日本人の全資産と日本国の全資源を狙って——支配者は殺しながら儲けて奪う!

stay alive ㊷

カバーデザイン　フォーチューンボックス　森瑞
カバーイラスト　源京花
校正　麦秋アートセンター
本文仮名書体　文麗仮名（キャップス）

第1部

消えゆく日本人へ消えてほしくない
飛鳥昭雄が「生き延びよ、日本人」と
最終警告を発信する!

last request

ロシアからのガス供給パイプ「ノルドストリーム」の爆破は、バイデン政権のしわざだ‼

アメリカのバイデン大統領には「お喋りバイデン」の異名があり、時にはそれが「失言」「アドリブ（即興）発言」と呼ばれ、批判の対象ともなっていた。

昔からバイデン大統領は激昂すると「口が滑る」癖があったが、最近では老人ボケが進んで「失言」に歯止めが利かなくなってきた疑いもある。

バイデン大統領の「失言」は外交の世界では大きな波紋を広げるため、ホワイトハウスのスタッフはその〝火消し〟が大変で、さらなる問題はバイデン大統領自身がそれを「失言」とは認めず、老人性の頑固さがますます混乱を引き起こすことだ。

２０２２年9月、バイデン大統領が自分について、鉄鋼労働者向けの演説で「私が何を言っているかについて誰も疑問を持ったことがなく、問題なのは、時折、私が言いたいことを全て（隠さず）言ってしまうことだ」と、疑われている認知症を否定する発言をしている。

確かにバイデン大統領は、オバマ政権の副大統領時代から節操なく思ったことを口にする男だった。だから政権幹部は、バイデン大統領の「失言」を後で釈明しなければならなくなる〝危機管理〟から、バイデン大統領への長時間インタビューをメディアに許可しない。

そのバイデン大統領の「失言」が、2023年3月にホワイトハウスで大噴火を引き起こしした……。2022年2月7日、ロシアの「ウクライナ侵攻」(2月24日)の前の段階で、バイデン大統領は「ロシアがウクライナに侵攻すれば、ノルドストリームはおしまいだ!!」と明言、「それはドイツのプロジェクトではないのか?」と追及する記者団に対し、「ノルドストリームは消滅する!!」「われわれ(アメリカと西側同盟国)がやるからだ!!」と断言したことが今になって火を噴いたのだ。

2022年9月26日、ロシアとドイツを結ぶバルト海経由の「ノルドストリーム1(Nord Stream 1)」と「ノルドストリーム2(Nord Stream 2)」が何者かによって破壊され、ドイツを中心とするEU諸国へのロシアのガス供給が冬を前に不可能になった。

それに対し、プーチン大統領はアメリカに説明を求めたが、ホワイトハウスは世迷いごととして門前払いにした。

2023年2月8日、アメリカの著名なジャーナリストで知られるシーモア・ハーシュが、「ノルドストリーム」の破壊にアメリカの「ＣＩＡ」が関与したことを暴露した!!

ハーシュはアメリカの「ベトナム戦争」における「ソンミ村虐殺事件」やアメリカ政府にとって都合の悪い事実を次々とすっぱ抜く大物ジャーナリストで、その結果、南ベトナムからのアメリカ軍の撤退が早まったとされる。

いわばハーシュは、アメリカ政府にとって目の上の瘤（こぶ）的存在で、それはバイデン政権にとっても同様である。

この暴露以降、非公開の「米独首脳会談」や「ニューヨーク・タイムズ」で不可解な報道が続き、ハーシュを否定できる材料がほとんどないため、アメリカ国内のマスメディアもバイデン政権の関与ありきで動き始めている……。

「ノルドストリーム爆破計画」に関わった国と組織もハーシュは暴露しており、ノルドストリームの破壊工作の中心はホワイトハウスのバイデン政権で、そこにアメリカ軍、ＣＩＡ、国務省などの担当者が参画したとする。

アメリカ軍と関係が深い「ノルウエー軍」もＣＩＡの指示で関わったが、実際の工作活動はバルト海で毎年行われているアメリカを中心としたＮＡＴＯの軍事演習「バルトップス」（２０２２年6月）で、その演習に参加したアメリカ海軍のダイバーが、粘土状爆薬「C4爆弾」をパイプラインに設置、3カ月後の9月26日にノルウエー軍が潜水艦探知用ソナーブイを投下、「C4爆弾」を遠隔操作で爆破させたと暴露した。

最大の注目点は、「ノルドストリーム爆破計画」が詳細に準備されたのが2021年9月で、ロシアのウクライナ侵攻の5カ月も前に準備されたことだ。

ハーシュは、「NATO（北大西洋条約機構）」の団結が揺らぐことを恐れたバイデン大統領が、極寒の冬を迎えるドイツが苦境に陥ることを承知の上で、ロシアの天然ガス供給を破壊することを画策したと公表した。

これは明らかに西側同盟国のドイツに対する明確な背信行為であり、その裏事情は、ドイツが日本同様、「国連」の「敵国条項」に〝世界の敵〟として指定されたままだからである。それは裏を返せば同様のことを中国軍に対する日本にも仕掛ける可能性があることを意味する。

この暴露報道に慌てたアメリカ政府とノルウエー政府は、ハーシュの主張を全て否定したが、犯罪者の鉄則にある〝誰が最大の利益を得たか〟を見ると、ノルドストリームの爆破で最大の利益を得たのは「LNG（液化天然ガス）」を大量にドイツなどEUに売ったアメリカで、瞬く間にカタールを追い抜いて〝世界最大のLNG輸出国〟となった。

一方の片棒を担いだとされるノルウエーも、自国のパインプラインによる天然ガス輸出量がロシアを上回り、莫大な暴利を得ているため、反論には何の重みも具体性もない。ハーシュの分析が詳細、かつ具体的であることから、民主党バイデン支持の「ニューヨーク・タイムズ」による反論も信憑性がない。

このアメリカの〝国益のためには同盟国を犠牲にする姿勢〟は、ウクライナと同様の位置付けにある「台湾」を抱える日本にも当てはまり、実際、アメリカ空軍機の沖縄の「嘉手納基地」からの撤退と、アメリカ海兵隊の日本からの撤退を見れば、日本を撒き餌(え)にして中国に殲滅(せんめつ)させ、その後、焼け野原となった日本に正義のアメリカ軍が押し寄せる〝パールハーバー式〟が見え隠れする。

それに対して自民党が一切逆らわないのは、終戦後、ダグラス・マッカーサー率いる「ＧＨＱ／General Headquarters（連合国軍最高司令官総司令部）」が作成した「ＷＧＩＰ／War Guilt Information Program（戦争罪悪感プログラム＝戦争についての罪悪感を日本人の心に植え付けるための宣伝計画）」によるところが大きく、当時、多数日本にいた在日を使い、彼らを〝戦勝国民〟にして日本人を支配するシステムが始まったのである。

「ＧＨＱ」の撤退後も、東京港区の「アメリカ大使館（極東ＣＩＡ本部）」が引き継ぎ、マッカーサーが残した「在日特権」「在日就職枠」「特別永住権」「通名制」を継続、日本の大企業やマスコミに大量の在日をほとんど無試験で送り込んできた。

その原動力が岸（李）信介による自民党で、日本国籍を持つ在日が入党して国政に参入、それを「統一教会」が助ける連立構造で圧倒的多数となり、政界を牛耳（ぎゅうじ）って今に至っている。

在日は大企業にも国公立大学にもほとんど無試験で入り、新聞社、TV局、芸能界も同様の遣り方で支配、霞が関の官僚も高卒でも在日なら無試験で入省・入庁できたため、省庁の上層部は在日だらけとなり、そこから大企業へ次々と〝天下り〟をして、在日が「上級国民」になるシステムが完成する。

そのため、戦勝国民扱いしてくれた恩義ある大アメリカに対し、在日シンジケートが逆らうはずがなく、日本人は奴隷の労働者階級として〝生かさず殺さず〟で働かすことになっている。

ところが、それもロスチャイルドとロックフェラーの「グレートリセット（Great-Reset）」で終焉（しゅうえん）を迎え、「新世界秩序（New World Order）」を迎える中、日本人も在日も根こそぎ、ビル・ゲイツ製母型の遺伝子操作ゲノム溶液接種であの世逝きになる事態が進行している!!

last request

国際状況を見極めれば、アメリカに追随する在日支配の日本は、利用され潰され奪われるだけ！

2023年3月、インドのメディアが以下の内容をTVで伝えている。

「インド政府は、ウクライナ侵攻の影響下であっても、経済成長率が最も高い国となりました」

「その理由は簡単で、アメリカに盲従しない中立的立場を維持したからで、経済の実利的な立場をとったことです」

「インド政府は、欧米西側諸国の一方的圧力に屈することなく、むしろ積極的にロシアの石油を購入することを決定しました」

「インド人は、欧米の偽善を見抜く力があります」

アメリカ国内でも「シカゴ大学」の国際政治学者ジョン・ミアシャイマーが注目すべき発言をしている。

「ロシアではなく、アメリカ（民主党バイデン政権）こそ〝戦争の原因〟だ!!」

攻撃的現実主義の権威とされるミアシャイマーは、「オフェンシブ・リアリズムの見解から言うと、最大の問題はＮＡＴＯの現実を無視した東方拡大で、（それに反撃するため）ウクライナに侵攻したロシアよりも、アメリカを中心としたＮＡＴＯこそが戦争の原因を何重にも積み重ねてきた!!」

この主張に対し、アメリカの「拝金主義」「新自由主義」「資本主義」「国際グローバルニズム」を掲げる経済学者、政治学者、新聞社等が一斉に嚙みつき、「19世紀ヨーロッパ国際政治の大国間政治だけをモデルにし、ロシアの勢力圏の存在の認知を訴えるミアシャイマーの議論を、進歩した21世紀の国際社会に導入することは意味がなく、こうした見方は、一つの視点に過ぎない!!」と猛反発している。

その延長から、プーチン大統領の頭脳と称されるロシアの政治活動家、地政学者、政治思想家、哲学者のアレクサンドル・ドゥーギンの思想にも嚙みつき「ドゥーギンは、自身の『ユーラシア主義』の思想を盾にウクライナ併合を正当化する過激派（テロリスト）である!!」

どこかで聞いたような話である。アメリカが好んで使う〝二者選択論〟だ。自作自演の「９・11（アメリカ同時多発テロ）」（２００１年９月11日）は記憶に新しい。当時の共和党大統領ジョージ・Ｗ・ブッシュが、ＣＩＡの「ＦＡＫＥ衛星写真」を証拠にイラクの「大量破壊兵器」の存在を認定させた。その時、ブッシュが言ったのは以下のような傲慢な言葉だった。

「世界各地の全ての国々は、今、決断しなければならない。アメリカ側につくのか、テロ側につくかのいずれかだ!!」

その姿勢は民主党のジョー・バイデン大統領も同じで、２０２２年12月9日、ホワイトハウスを中心とした「民主主義サミット」を開催し、アメリカの陣営とそうではない陣営を区分けした上、「US Strategy on Countering Corruption（腐敗への対抗のための国家戦略）」を発表。腐敗した（アメリカ型民主主義に逆らう）人物への法執行と制裁強化をアメリカが中心に行い、「ＯＦＡＣ（財務省外国資産管理局）」に命じて、外国政府関係者らを多数見つけ出し、制裁対象の「ＳＤＮ（特別指定国民）」に指定した。

これは国際社会を支配する欧米西側陣営唯一の超大国アメリカが、世界中の民族や国家を裁いて「羊と山羊」に分ける権利と権限を持つことの表明だった!!

「『人の子は、栄光に輝いて天使たちを皆従えて来るとき、その栄光の座に着く。そして、すべての国の民がその前に集められると、羊飼いが羊と山羊を分けるように、彼らをより分け、羊を右に、山羊を左に置く。』」（『新約聖書』「マタイによる福音書」

第25章31～33節）

絶対神ヤハウェの民「ヤ・ゥマト（大和民族）」が、将来の大和民族のために書き残した預言書『旧約聖書』『新約聖書』だが、ローマからバチカンへ、そして欧米に伝わってから大きく変質していく。そして現代のローマ帝国皇帝のアメリカの大統領が、「ブッシュ＝羊と山羊を分ける権限を持つ」「バイデン＝羊と山羊を分ける権限を持つ」と堂々と振る舞い始めたことを意味する!!

そんなアメリカに公然と逆らうのがロシアのプーチン大統領という図式だが、現在の国際状況の基本もわからず、アメリカに盲従する日本の危険度が、残念ながら今の日本人に伝わっているとは到底思えない。

last request

在日と極東CIAが全てを決めている国・日本の惨状を知れ!!

アメリカに絶対服従する在日支配下の自民党（統一教会）、公明党（創価学会）、霞が関省庁の官僚の在日TOP陣営、NHKと全民放TV局を牛耳る在日シンジケート、四大新聞社（読売はナベツネが逝くと在日支配になる）は、大和民族ではない在日が「アメリカ大使館（極東ＣＩＡ本部）」の庇護と命令の下で動いている。

戦前の日本は、今のような体(てい)たらくではなく、それは戦前・戦中の歴史が証明しているし物語っている。

その頃の日本は、良きにつけ悪しきにつけ、欧米、特にアメリカとイギリスの従属国家ではなく、その頃の日本を〝悪〟と日本人に教えたのは、終戦直後、やって来たダグラス・マッカーサー率いる「ＧＨＱ（連合国軍最高司令官総司令部）」だった。

戦前の「日韓併合」で欧米型植民地と一線を画していた日本は、陽が沈むことのない大英帝国の世界植民地政策にとってみれば、最大の敵であった。「国際連盟」の席で有色人種差別徹底を主張する日本の姿は、欧米列強にとれば〝最大の悪〟そのものだった。

そこでアメリカは、終戦後の日本人洗脳作戦に、「日韓併合」で自由に行き来できた在日朝鮮人に〝戦勝国民〟の口約束をし、在日コリアンが大和民族を支配する「ＷＧＩＰ（戦争罪悪感プログラム）」を発動させ、戦後支配体制が始まったのである。

「統一教会」の文鮮明(ムンソンミョン)は、「朝鮮戦争」当時にＣＩＡが半島で見つけ、日本人に対し徹底的に「罪悪感」を植え付けるよう指示、東京の「アメリカ大使館（極東ＣＩＡ本部）」がそれを継承して、日本に拡大していく。

終戦後、「巣鴨プリズン」に収監されていたA級戦犯から「GHQ」が見つけ出したのが、半島系の岸（李）信介（安倍晋三の祖父）である。自民党の首相に押し上げた後、文鮮明と手を結ばせ、自民党を「在日シンジケート（清和会）」と「統一教会」で連帯支配体制を完成させていく。

マッカーサーは、アメリカにいた李承晩（リショウバン）を半島支配に呼び寄せ、日本を全ての〝悪の根幹〟にすれば、以後、日本の在日シンジケート（後の自民党）を介し、半島へ半永久的に日本の資金が渡ることを約束した。竹島も与えるとして「マッカーサーライン（後の李承晩ライン）」を地図上に引き、日本の在日同様に韓国を〝戦勝国民〟にすることを口約束した。

なぜなら、今も戦後教育で救世主視されるマッカーサーは、「朝鮮戦争」に勝利した後、英雄としてアメリカ大統領になることを夢見ていた。

話を現在に戻すと、アメリカ政府系の学者たちは、「前近代的なユーラシア主義の思想では、ユーラシア大陸の中心部に、共通の文化的紐帯（ちゅうたい）を持つ共同体が存在することになるため、ユーラシア大陸の中央にロシアを中心とする広域政治共同体が存在する正当性が掲げられている」とし、以下のようにロシアの正当性を嘲笑（ちょうしょう）して切って捨てている。

「この愚かな信念に従えば、中央アジア諸国とコーカサス地方の諸国は、ウクライナや東欧諸国を含め、ロシアを盟主とするユーラシア主義運動に参加すべきとなり、あるいは参加するのが自然となる」

「それ（ドゥーギンの思想）は、ウクライナが併合されるのを自然とし、ロシアが生存圏を取り戻そうとしている行動を認めないのが不当という（狂った）世界観である」とする。

これは、日本が「太平洋戦争」に突入した頃のアメリカのルーズベルト政権の行動と瓜二つである。「東京裁判」でも主張されたように、『ハル・ノート』という一方的な最後通告（アメリカはこれを正式なものではないメモ程度と今も誤魔化している）を受け取れば、どんな国でもアメリカと戦争を開始せざるを得なかった。このことはけっして無視できることではなかったのである。

東條英機の弁護人だったアメリカのベン・ブルース・ブレイクニーは、それを以下のように主張している。

「本次戦争について言えば、真珠湾の前夜国務省が日本政府に送った覚書を受け取れば、モナコやルクセンブルクでもアメリカに対し武器を取って立ったはずだ!!」

実はこの裏に、公表されない問題が隠れており、日本は開戦前の「御前会議」の席で、今も国際社会で認められる「自存自衛」をもって開戦を決めたが、東條英機内閣の国会における「大東亜共栄圏」発言をアメリカが最大限に利用し、日本を植民地を拡大する悪の枢軸とするフェイクを世界中に巻き散らした。

もし、今も世界最大のフェイク超大国のアメリカが言うことが正しいなら、仮に隣国のカナダがロシア化した場合、ＣＩＡは、アメリカとカナダの国境線上に朝鮮半島のような緩衝地帯を設けるなど、前近代的と言えるはずがない!!

世界最大の嘘とフェイクはアメリカの専売特許で、その嘘の超大国アメリカに従って突き進む「コリアＪＡＰＡＮ」は、韓国と北朝鮮と一緒に「三位一体」で滅び去る末路が待っている。

last request ④ 知られざる密約、韓国が日本を悪者扱いする限り、在日支配の日本から、莫大な資金が韓国に流れる！

アメリカは韓国に対し、踏み倒し可能な「通貨スワップ」を結ばず、貸し付けた資金を期限内に回収できる「為替スワップ」しか結ばない。それは放漫経営の韓国経済が1997年の「アジア通貨危機」以来、いつ国家破綻するかわからない状況にあるからだ。

世界1位と2位を占める韓国の造船業を含め、韓国は労組の力が異常に強く、安易にストライキをやるため、大企業でもいつ倒産するかわからないと言われている。

それだけを見ると、単なる韓国だけの問題に思えるが、1997年7月にタイを中心に勃発した急激な〝通貨下落（減価）〟による「アジア通貨危機」は、裏でアメリカの「禿鷹ヘッジファンド」が行った〝通貨の空売り〟が原因である。つまり、アメリカ主導の経済危機だった。

正式には「自国通貨の為替レート暴落」だが、真意は「アジア金融危機」「経済危機」で、ロスチャイルドとロックフェラーの持ち物とされる「ＩＭＦ（国際通貨基金）」の思惑通り、タイ、インドネシア、韓国が経済的打撃で「ＩＭＦ」の管理下に陥り、マレーシア、フィリピン、香港（当時）も大きな打撃を被った。

問題はバブル崩壊後の日本で、融資の焦げ付きが各所で多発、一気に緊縮財政が始まり、1997年4月導入の「消費税増税」のタイミングと完全に一致してくる。1998年に「金融危機」が始まり、「日本銀行」が「政策金利引き下げ」で「日本円急騰」を招き、「日本長期信用銀行」が破綻して国有化、「日本債券信用銀行」の国有化への一連の「金融不安」を引き起こした。

これで日本経済が完全に下降気流に巻き込まれて沈没、二度と浮上することのないロスチャイルドとロックフェラーが仕掛けた泥沼に入った。

１９８８年は「ソウルオリンピック」の年だが、韓国経済は1ドル１５００ウォンまで暴落して破綻、「ＩＭＦ（国際通貨基金）」が強制介入する羽目に陥ったが、韓国のマスコミは一斉に、「韓日財政政策協議強化」「域内基金早期設立一致」と一方的に報道、８００億ドル規模の「ＡＭＦ（アジア通貨基金）」が韓国を支援すると発表した。

なぜこんな真似ができるかは簡単で、終戦後、「ＧＨＱ（連合国軍最高司令官総司令部）」を率いるダグラス・マッカーサーが、アメリカから呼び寄せた李承晩に対し、「これから以後、韓国が日本の悪行をアピールする限り、アメリカは在日支配の日本から莫大な資金を永久的に流す」と口約束したからだ。

これは、マッカーサーが「朝鮮戦争」に勝利した後、英雄としてアメリカに凱旋し、大統領になることを前提とした約束だったが、マッカーサーが大統領になることはなかった……。

この密約は、米韓互いに日本人に漏らさぬ約束の上で、今も東京港区の「アメリカ大使館（極東ＣＩＡ本部）」を介して継続している。

当時の「ＡＭＦ（アジア通貨基金）」は日本人が汗水流して働いた資金だったが、金泳三（キムヨンサム）大統領は、「韓国がこうなったのは全て日本（日本人）のせいニダ!!」と捲（まく）し立て、それに対し在日が支配する「自民党」は、母国の危機を救うため、日本人の税金30億ドルの緊急支援を決定、さらに盗人に追い銭と「日韓基本条約」を駆使し、有償で2億ドル（当時の720億円）と無償で3億ドル、民間でも3億ドルを韓国に献上した。

当時、韓国は「ＩＭＦ」から500億ドルもの借金をし、慌てた「自民党」は母国に100億ドルを融資したが、ウォンの暴落は止まらず、最後の最後、「日銀」が韓国に資金を放出したため、韓国は首の皮一枚で救われた。

が、「日本人の援助など最初から必要なく、韓国だけでやってのけたニダ!!」と宣言できたのは、自民党を支配する在日朝鮮民族が、母国の韓国に金を運んだから。このことを知る日本人の有権者は皆無だった。

そして今再び、「統一教会」と癒着したまま（完全一体化のために切り離すのは不可能）、世間のほとぼりが冷めたと判断した「自民党」は、東京の「アメリカ大使館

（極東ＣＩＡ本部）」の指示を受け、ウクライナに向かい、同時に麻生太郎、そして岸田首相が半島援助に乗り出したのである。

last request ⑤ 知ることから始めよう！　アメリカによる国家的洗脳と在日シンジケート権力で日本人はがんじがらめ!!

１９４５年8月30日、連合国軍最高司令官ダグラス・マッカーサーが「厚木基地」に降り立ち、終戦後の日本人を統治する駒に使ったのが、「日韓併合」で日本に多数いた在日朝鮮人だった。

以後、「ＧＨＱ／General Headquarters（連合国最高司令官総司令部）」は、在日に米軍の闇物資を大量に流し、駅前で「闇市」を取り締まらせ、タダ同然に駅前の一等地を与え、それがパチンコ屋になって在日の莫大な資金源になっていく。

在日朝鮮人に日本人を支配させ、その在日をアメリカが支配するシステムが「ＷＧＩＰ／War Guilt Information Program（戦争罪悪感プログラム）」で、１９４６年1月8日に正式承認され「日本人再方向づけのための積極的政策」に基づき開始された。

その冒頭には、「ＣＩＳ局長と、ＣＩ&Ｅ局長、及びその代理者間の最近の会談にもとづき、民間情報教育局は、ここに同局が、日本人の心に国家の罪とその淵源に関する自覚を植えつける目的で開始し、且つこれまでに影響を及ぼして来た民間情報活動の概要を提出するものである」とある。

いわば、アメリカによる〝国家的洗脳計画〟で、ナチスドイツの洗脳方法が基本になっていて、洗脳される側の日本人はほとんど気づくことがない……。

そんな戦後のドサクサの中、いつの間にか大企業に「在日就職枠」が定められ、「在日特権」で大学にほとんど無試験で入れ、「特別永住権」で何世代も日本に住まうことができ、「通名制」で朝鮮名と日本名を自分たちの都合で自由に使い分けられ、それを半島の韓国人が悪用し、海外で罪を犯すと日本人に成り済ますようになる。

国を動かす政界にも在日が大量投入され、日本国籍の在日が日本名で選挙に出る際、半島系の「統一教会」の協力で大量に国会議員になり、霞が関の省庁にも在日なら高卒でも試験なしで入れ、在日同士協力しながら日本人を左遷し、多くの上級官僚となった後、天下りで大企業の顧問になっていった。

彼らはやがて左団扇(ひだりうちわ)の「上級国民」となり、一方、在日なら優先的に自治体から「生活保護」を受けられ、最近、川崎市の条例で、在日朝鮮人の悪口を言うと、刑事罰を受ける法律までが施行された。

戦後まもなく、「在日就職枠」「在日特権」で大量の在日がＮＨＫと民放ＴＶ局に送り込まれ、今では「ＮＨＫ」「フジテレビ」「ＴＢＳ」「日本テレビ」等は在日に乗っ取られ、ほとんどの新聞社も例外ではない。

大和民族が日本を動かすのではなく、自民党を含む在日シンジケートが「アメリカ大使館（極東ＣＩＡ本部）」の庇護と命令の下で動いているのが真相で、「横田基地」の在日米軍を含め、在日シンジケートは恩義あるアメリカには絶対に逆らわない。

２００１年9月11日、「アメリカ同時多発テロ」の頃、韓国経済は再々致命的大失速を演じ、日韓共同開催の「ワールドカップ」の韓国側のスタジアム建設も滞る事態に陥ったが、慌てた在日支配の「自民党」は、再び母国に日本人の税金30億ドルの財政融資を差し出し、韓国経済は濡れ手で粟の「V字回復」を達成、「日韓ワールドカップ」の名称を、ＡＢＣ順を逆手に取って、この時だけ「Korea」を「Corea」に変更し「韓日ワールドカップ」に変更させた。

それを受け入れた「日本サッカー協会」に対し「大韓サッカー協会」は、半島の勝利に腹を抱えて笑い転げたという。

２０１０年、「日韓併合百周年」を迎える際、調子に乗る韓国は、天皇陛下を訪韓させ、韓国人に対し心からの謝罪（土下座外交）を求める運動を過熱、２０１２年８月10日、日本生まれの李明博大統領は、在日自民党が「通貨スワップ」を韓国と結んだ直後、竹島不法上陸を行い、無能な日本人に対し一気に畳み込んでくる。

２０１２年８月14日、「日本の天皇が韓国訪問を希望していると聞くが、独立運動で亡くなった方に謝罪する用意があるなら訪韓してもよいニダ」と上から目線で述べ、ボォ〜と「日韓通貨スワップ」を傍観していた日本人もさすがにブチ切れ、韓国に一方的有利な「日韓通貨スワップ」を（当時）民主党が減額する。

「日韓通貨スワップ」は、２００５年に半島援助の目的で在日支配下の「自民党」が作り、「日本銀行」「韓国銀行」の各々の中央銀行が相互融通し合う通貨システムで、実態は自民党が韓国を一方的に救うための「ＡＴＭ」だった!!

総額は韓国が求める額面通りの青天井で、それが如実に表れたのが、２００８年12月に起きた「リーマンショック」だった。韓国の「外貨流動性問題（韓国通貨危機）」は危機的状態に陥り、母国韓国を救うため、（当時）麻生内閣が引出限度額を30億ドルから一気に２００億ドルに増額して半島を救っている。

２０１１年10月、今度は（当時）「民主党」が「欧州金融市場不安定化」の影響で打撃を受けた母国を救うため、一度戻った引出限度額を再び30億ドルから３００億ドルに増額、その直後に起きたのが、李明博の天皇土下座発言である。さすがの「民主党」も、ヤバいと知ったのか２０１２年10月に引出限度額を３００億ドルから30億ドルに戻した。

が、韓国は「民主党」より在日が圧倒的に多い「自民党」にすり寄り、「日韓通貨スワップ」増額を了承した（当時）麻生総理を国賓並みに迎えるのである。

もちろん、このシナリオは全て「アメリカ大使館（極東ＣＩＡ本部）」が裏で暗躍したもので、霞が関も〝母国救済〟のためなら、政官一致でアメリカに従う気構えを見せていた!!

……そして今、在日支配の「自民党」と韓国が「アメリカ大使館（極東ＣＩＡ本部）」を介して、再び手を結ぶ資金援助の仕掛けが動き始めた。戦後政治の実態を全く知らない日本人は「ＷＧＩＰ」に流されていくしか能がない!!

last request

日本人は気づき始めた！ 自民党は主人は米国、母国は韓国の「オレオレ詐欺」で私たちを騙しつづけている、と！

文在寅（ムンジェイン）政権は、「元徴用工問題」や「従軍慰安婦問題」、さらに既に解決済みの「歴史問題」を次々と穿（ほじく）り出し、半永久的に日本から賠償金をたかろうとしていた最中の2019年8月22日、韓国の駆逐艦「DDH－971（広開土大王）」が日本の海上自衛隊の「P－1哨戒機」に向け、攻撃を意図する「火器管制レーダー照射事件」を引き起こしたが、それさえ韓国は日本に責任を転嫁し国を挙げて喚（わめ）きたてた。

その海域は、日本の管理下にある「EEZ（排他的経済水域）」内で、「広開土大王」は国籍を示す旗を船尾に掲げず、国際法に従えば撃沈してもかまわない対象だった。

さらに韓国は、2019年に日本から輸入した約4万キロの「高純度フッ化水素」を不良品と難癖をつけ、返品してきた。しかし、実際に返されたのはたった120キロに過ぎず、残りがどこかへ消えたかわからない。このことから長年疑われていた北朝鮮への横流し疑惑が確信と変わり、防衛上の危機管理から韓国をホワイト国（優遇国）から外すことになる。

実際、韓国の駆逐艦「広開土大王」は、北朝鮮の偽装船に向けてボートを出し、禁止されている横流し品を海上で渡す「瀬取り」を行っている最中であった。明らかに国際法違反である。

結果、韓国は信用できないとして、スマホ用「フッ化ポリイミド」、半導体基板に塗る感光剤の「レジスト」、半導体洗浄に使う「フッ化水素」の3品目について輸出手続きを厳しくした。

日本は韓国を「輸出管理体制が不十分で、安全保障上の懸念がある」とし、同時にホワイト国から除外したが、ＥＵも韓国をホワイト国に指定しておらず、それまで韓国は日本の信用（ホワイト国扱い）に乗って貿易を拡大していた。

この対韓輸出管理を強化したことに居直った韓国は、一方的に「ＧＳＯＭＩＡ（日韓軍事情報包括保護協定）」を破棄すると表明、北朝鮮の軍事情報の共有を可能にする防衛協定を反故（ほご）にしたが、北朝鮮従属の文在寅政権は、日本を悪者にして北朝鮮に接近できる一石二鳥を図った。

文在寅政権は、返す刀で日本を不当な貿易差別を行っていると「ＷＴＯ（世界貿易機関）」に訴えたが、そんな理屈が通るわけがなく、「WTO」は常任理事が不在で機能不全に陥っており、提訴したところで全く意味がなかった。そもそも安全保障上（防衛）の問題と「WTO」は全く関係がない。

一方、バイデン政権は、ロシアの「ウクライナ侵攻」以後、ウクライナ援助に掛かり切りで、国内のインフレ対策が全て後手に回り、無能ぶりが指摘される。そんな中、バイデン大統領の韓国訪問で、韓国の「サムスン電子」「SKハイニックス」の工場をアメリカに誘致することが決まった。そうなると、日本の韓国に対する「半導体材料3品目規制」はバイデン政権にとって邪魔になる。

そこで、首の皮一枚で大統領選に勝利した尹錫悦（ユンソンニョル）政権は、韓国の「WTO」への提訴を取り下げ、そうした以上、今度は日本が韓国のホワイト国への復帰をすべきと、アメリカの意向を盾に迫ってきた。

韓国産業通商資源部（省に相当）の李昌洋（イチャンヤン）長官は、「我々が制度を改善すれば日本もこれに従うしかないという大義名分が立つ。韓国企業にとっては輸出許可手続きが簡素化するという実利もある」とした。

2023年3月23日、韓国有利と見た李鐘燮（イジョンソプ）国防相は、2018年の韓国海軍艦による自衛隊機への火器管制レーダー照射問題で「（自衛隊機の飛行が）威嚇的だったのは事実だ‼」と国会で説明、韓国政府の従来の日本が悪い見解を改めて主張した。

つまり韓国は、ホワイト国復帰が確実と見るや、「韓国軍によるレーダー照射はなかった」との立場を正式に表明したことになる。日韓で事実の誤認があるため「事実関係の確認が必要」と主張し、日韓関係改善を条件に協議してもいいと上から目線を示したことになる。3月16日の岸田首相との「日韓首脳会談」でも、この問題は議論の対象にもならなかったと、韓国側の主張に強い自信を表明した。

一方、自民党の岸田政権は、韓国のホワイトリスト復帰について、西村康稔経済産業大臣が「慎重に判断したい」と述べたものの、所詮は2023年4月23日の「地方選挙」を前にして、国民の反発を避けたいと誤魔化したに過ぎない。

なぜなら、在日系自民党は、主(あるじ)である東京の「アメリカ大使館（極東CIA本部）」の意向通り、母国である韓国のホワイト国入りが決定済みで、「地方選挙」後それを行うことになっていた。

またしても日本の有権者は「統一教会」と自民党の「オレオレ詐欺」に騙(だま)されたのである……。

last request

〝一方的に韓国を援助する〟在日系自民党と北朝鮮系公明党はこうして

神話がないアメリカは、自らを神格化するしか〝神話コンプレックス〟を払拭することができないため、「ロズウェル事件」を科学最新国の「アメリカ神話」にしているとの分析があるが、まだその奥底に存在するアメリカを「神話コンプレックス」から救う強烈な〝思想〟がある。

それが、アメリカ最大の啓蒙思想「マニフェスト・ディスティニー（Manifest Destiny)」である!!

後から新大陸にやって来た白人が、先住民のネイティヴを殺戮しながら、東海岸から西海岸のカルフォルニアの黄金を求め、猛烈な勢いで西部開拓に突き進んだ、その罪悪感を正当化する標語としてそれは誕生した。

白人の領地拡大主義を絵に描いたような西部開拓を「文明化」と位置付け、神からの「天命」で白人の邪魔をする有色人種を根絶やしにすることは正義であり、神が託した「明白なる使命」「明白なる大命」の美名の下、先住民のネイティヴをいくら惨殺しても神から赦(ゆる)されるという思想である。

　広大な大陸を東から西へ横断してカリフォルニアに至り、そこで金を掘り尽くすと、今度はアラスカの黄金ラッシュへと向かい、とうとう西海岸で停止した白人たちは、19世紀末に終焉した「フロンティア・スピリット」を西海岸から海に向かって拡大させ、太平洋に乗り出してハワイ諸島の王朝を滅ぼしてアメリカに併合する。

　１９０２年、アメリカはスペインの植民地だったフィリピンを攻撃、女性と子供を含む30万人の現地人をカラードとして殺戮して植民地にした。その50年前の１８５３年、大艦巨砲主義で日本を開国させ、日本の金をレート差で奪い尽くし、その金で「南北戦争」を起こしてアメリカを統一、余った銃を薩長に売って徳川幕府を転覆させた。

　その後、日本は不平等条約を撤廃させた後、欧米列強と対等になるために軍事力を強化したが、英米から徹底してマークされていく。日本軍のハワイ真珠湾攻撃で開戦させ、最後に日本を原子爆弾人体実験場にして、広島31万９１８６人、長崎18万２６０１人の計50万１７８７人を虐殺した。

　その後、アメリカはベトナムに参戦し、北ベトナム兵４７８万１０００人を殺し、

117万7000人を行方不明にし、民間人300万人を殺戮した。

さらには、「9・11（アメリカ同時多発テロ）」を自作自演した後、CIAのフェイクで「対テロ戦争」を掲げてイラクに攻め込み、民間人を含む100万人を虐殺、アフガニスタンにも攻め込み、タリバン兵の死者5万3000人と変わらない民間人4万6000人も殺戮した。

アメリカの啓蒙思想の終着点はイスラエルで、聖域をもって「アメリカ神話」が完成し、その途中にある黄色人種の大国の中国を「マニフェスト・ディスティニー」で大量虐殺しなければアメリカは気が済まない。

アメリカは自らを〝神の代理人〟とし、世界制覇を成し遂げる使命を遂行することで、「神話コンプレックス」を解消できるため、アメリカ自らが「神話」になろうとしている!!

一方、在日系が支配する自民党に長年洗脳され続けた日本人は、ほとんど気づかないだろうが、アメリカの同盟国はイギリスだけで、日本は五等国以下である。

なぜ五等国かいうと、在日米軍海兵隊が緊急時に救出する優先順位（1999年版）を見れば、最優先が「アメリカの白人」で、第2位が「アメリカのグリーンカード（永住権）保持者」、第3位が「イギリス人」、第4位が「カナダ人」、優先第5位がオーストラリアとニュージーランドの国民で、有色人種の日本人はその他に過ぎないからである。

さらに21世紀初頭、アメリカは「ＵＫＵＳＡ協定／United Kingdom-United States of America Agreement」で、アメリカ、イギリス、カナダ、オーストラリア、ニュージーランドの5カ国だけで、「ファイブアイズ」という白人国協定を結び最重要情報を共有している。そのため、21世紀のアメリカの優先順位は、1位アメリカ、2位アメリカグリーンカード（永住権）保持者、3位イギリス、4位カナダ、5位オーストラリア、6位ニュージーランド、7位その他の国（日本）となる。

２０２２年5月20日、アメリカのバイデン大統領が訪韓した。尹錫悦（ユンソンニョル）大統領が同行して「サムスン電子」の半導体工場を視察、「ＳＫハイニックス」を含めアメリカへの工場誘致を約束させた。

２０２２年11月2日、自民党の麻生太郎副総理が、突然、訪韓して尹錫悦大統領と1時間超にわたる会談をし、帰国後、韓国側の関係改善に向けた強い意欲を岸田首相に伝えたことから、東京の「アメリカ大使館（極東ＣＩＡの本部）」の命令で、韓国のホワイト国復帰の下準備に入ったことは見え見えだった。

同月中旬、カンボジアの首都プノンペンで岸田首相と尹錫悦大統領の「日韓首脳会談」が行われ、双方和気あいあいだったことで、ホワイト国復帰は100パーセント間違いないことが読み取れた。

2023年3月6日、半島系の「統一教会」の問題などとっくに解決済みの顔で、茂木幹事長は「日韓関係が大いに飛躍することを期待したい」と顔を緩め、創価学会・公明党の高木政調会長も、「日韓や米国を含めた連携を密にする上でプラスになる」と大歓迎を表した。

韓国では少数与党「国民の力」に、多数野党「共に民主党」の超捻じれ議会の中、今や底無しの「ウクライナ支援」と全く同じ、底無しの「尹錫悦支援」に何の保証もないまま在日系が支配する自民党と、北朝鮮系の創価学会・公明党による〝一方的に日本が韓国を援助する〟いつものズルズルスタイルを歩むことになるのは決定的だった。

案の定、2023年7月4日、ま<ruby>た<rt></rt></ruby>来た道の繰り返しで「日韓通貨スワップ」を締結、今回は円が弱含みのため、ドル建てになったことが前と違っているだけである。

韓国とは日本の良いものは何でも韓国発祥と世界に向かって訴える国家なのか!?

韓国人は日本の文化を何でも欲しがる一方、その全てを朝鮮民族が日本に与えたものと考え、日本発祥とされるほとんど全ては韓国発祥と世界に向かって訴える狂った民族性を持つ民族と知るべきだろう!!

「キムチ」以外は何もないコンプレックスの裏返しとしても、日本のものなら仏像でも何でも盗み、日本の全てを欲しがる執念は尋常ではない。

「2023 WBC（ワールドベースボールクラシック）」で日本の「侍ジャパン」が、アニメ顔負けの大活躍で勝利を重ね、優勝を決める最終戦は、アメリカチームとマイアミの「ローンデポ・パーク」で対戦、3対2で勝利して3大会ぶり3度目の優勝を飾ったことは誰しも知る事実である。

特に、9回2死で投手の大谷翔平に対して、打席に同じエンゼルスのチームメートで、大リーグのスーパースターのマイク・トラウトが立つシーンなどは、アニメどころかハリウッド映画のようなあり得ない展開で、そんな中で大谷は魔球ともいえる強烈なスライダーでトラウトを三振に切って捨てた。

世界中は「侍ジャパン」に酔いしれ、大谷の本物の凄さに拍手を送ったが、一方、何でもイチャモンをつける韓国は、今回のWBCで初戦のオーストラリア戦に7対8で敗れ、日韓戦で4対13で完敗し、1次リーグB組で敗退したことで、3大会連続1次ラウンド消滅の憂き目に遭い、「東京の大惨事」と報道した。

韓国代表選手のイ・ジョンフは、韓国打線で唯一気を吐いた選手だったが、「大谷のようになりたい」と語り、マスコミも「あの勝ち方こそ韓国野球の理想の姿ニダ!!」とチャッカリ便乗するどころか、「大谷は韓国人の理想の姿ニダ!!」と褒めているようで、実は偉大な韓国の宣伝に逆利用した民族性まる出しと言えた。

そういえば、松井秀喜が大リーグで大活躍すると、松井は韓国人ニダと叫び、イチローが大リーグで活躍するとイチローは韓国の血を引いているニダと、韓国の宣伝にさんざん利用されてきた。

仕方がないので、イチローなどは実家からわざわざ家系図を出して、江戸時代の医者の家系だった証拠を示さねばならなくなった。

とにかく朝鮮民族の図々しさは常軌を逸しており、さっそく韓国は、自国野球の強化策として「日韓オールスター戦」の開催を日本側に打診してきた……が、それは日本野球界にはどうでもいいことで、所詮は韓国野球界の国内問題であり、対日戦で韓国人は何をしたいのかは目に見えている。

韓国は3大会連続で1次リーグ敗退の汚名を、何かの拍子で世界一の日本に勝てたら、「やはり韓国が世界一ニダ!!」と世界中に吠える目論見であることは間違いなく、日本には韓国人の「民族主義」「日韓問題」「反日政治」がらみの韓国戦は〝百害あって一利なし〟で何のメリットもない。

とにかく韓国は、「日本刀」「歌舞伎」「相撲」「浮世絵」「剣道」「空手」「寿司」等は全て韓国発祥ニダと何の根拠もなく叫びまくり、それをSNSで世界中に発信することはもちろん、世界中の韓国大使館、領事館を通して正式アピールする異常国家と知らねばならない。

そんな折、唯一の「キムチ」に黄色信号が出た……白菜の原産国の中国が白菜漬けのルーツと主張し、唐辛子も中国から日本を経て秀吉が韓国に持ち込んだもので、韓国発祥ではないとして韓国では大騒ぎになった。

要は、そんなガキ同様の韓国とまともに話し合っても無駄で、日韓ホニャララで何度も失敗し、それでも韓国と条約を結びたい自民党は、半島を母国とする在日が「統一教会」の助けを得て、日本の「通名」で選挙に出て国政を支配している証拠とも言えるだろう。

last request 
韓国、在日、統一教会、極東ＣＩＡが仕掛ける洗脳。「戦争罪悪感プログラム」に尻の毛まで抜かれてまだ気づかない日本人よ！

自民党の岩盤はほとんど在日と「統一教会」で占められ、大企業に天下りする霞が関官僚も在日なら、その大企業から落ちてくる「政治献金」も在日が日本の大企業の利益から払っている。

このシステムが、終戦後、在日朝鮮人による日本人支配を仕掛けたダグラス・マッカーサーと「ＧＨＱ／General Headquarters（連合国軍最高司令官総司令部）」の悪だくみで、戦争についての罪悪感を日本人の心に植え付けるための宣伝計画「ＷＧＩＰ／War Guilt Information Program（戦争罪悪感プログラム）」である。

韓国と在日と「統一教会」が、「アメリカ大使館（極東ＣＩＡ本部）」の命令で徹底的に日本人を洗脳するシステムである。

世界も気づき始めたが、韓国企業は都合が悪くなると契約を守らず、最悪は企業ごとトンズラし、わざと倒産して責任を回避、どうしようもなくなると、上から目線で日本企業にすり寄ってくる。

だから国民もその性癖で、自分の周囲全てがそうなので誰も反省する必要がなく、最悪でも刑務所に入ってチャラにできれば安いものと考える。歴代の韓国の大統領と同じと思えばいい。

伊藤博文は「日韓併合」に反対だったが、大久保利通や西郷隆盛らに押し切られ、最後はハルビンで安重根（アンジュングン）に暗殺される。これはもともとは朝鮮半島の位置が地政学的に「日清・日露戦争」のような紛争の火種になるため、近代化に成功した日本に極貧の半島を統合させようとしたことによる。「膨張するロシアを抑制するため、日本が韓国を手にしてけん制役になることを望む」とアメリカのセオドア・ルーズベルトは公言していた。

アメリカにとって韓国介入はコスト的に価値がなく折り合わないため、日本がコントロールしてくれれば事足りるとしていたのだ。

異常な性癖の民族性はロシアも承知していて、アメリカもやっかいな民族性に巻き込まれず、既得権益が侵されないためにも、最悪の経済の半島をどん底から引き上げていた。

るためにも、日本に任せるのがアメリカにとってプラスとルーズベルト大統領は考えていた。

だから日本は火中の栗を拾わされたわけで、今もその愚策の尻拭いをアメリカから強制されている。

日本がまともな独立国なら、日本人は半島に対して「非韓三原則」〈助けない〉〈教えない〉〈関わらない〉を実行すべきだ。しかし、通名で日本人に成り済ます「清和会」に代表される在日自民党国会議員の群は、母国である韓国に「親韓三原則」〈助ける〉〈教える〉〈関わる〉を貫き通す。それでも日本人の有権者は、自民党に最大議席を与えつづけ、投票率が低いと自民党が勝つ投票拒否をする以上、救いようのない国民である。

在日系自民党の「アベノミクス」で、日本人がどうなったかは歴然で、日本売りの「JAPANバーゲン」が加速し、日本の土地が安値で買い叩かれ、円安が続く中で日本人が海外に出稼ぎに行かねばならないほど薄給に陥り、欧米の海外投資家だけが潤う。そんな中で牧畜業が一気に破壊され、子牛1頭が500円でも売れない異常事態に陥り、米作も一気に追い込まれている。つまりアメリカ製の乳製品、牛肉、米（ハイブリッド米）を買わねばならない事態が来ているのだ。

それでも「統一教会」と在日が支配する自民党に票を入れる連中は、もはや国賊以外の何者でもないと言いたいが、ボォーッと生きている「茹でガエル」にはどうでもいいことだろう。

というか、それがロスチャイルドのイギリスと、ロックフェラーのアメリカが目論む、大和民族の駆逐を最大の目的とした「グレートリセット（Great-Reset）」なのである。日本人が列島から一人残らず消え失せた真・世界が、ヤ・ウマト（ヤハウェの民）なき彼らの理想郷「New World」なのだから!!

last request ⑩
日本がけっして逆らえない真の理由がスノーデンの暴露でわかった！　日本の原発全てをボタン一つで核爆発させるシステムが存在する！

北朝鮮のミサイルラッシュは、アメリカのバイデン大統領のためにやっているとしか思えない。おかげで韓国と日本が国防&安全保障体制のために、手を握ることへ一気に発展、さらに日米韓軍事同盟レベルに格上げ、「QUAD／クアッド（日米豪印4カ国の協力枠組み）＋α」に加入する方向へ動くからだ。

米韓軍事訓練は珍しいことではないし、北への上陸作戦も今に始まったわけでもないが、北朝鮮がミサイルを発射するほどアメリカ製の迎撃ミサイルが売れるのはトランプ時代から同じである。

国家全体が軍産複合体のアメリカにとって、セールス的に北朝鮮の存在は非常にありがたいはずで、だから自由に撃たせていると言える。

韓国は国際条約よりも国内法優先のトンデモナイお粗末国家で、民間圧力団体の方が政治家より力があり、韓国と関わる国や外国企業は大変な迷惑をこうむることとなる。

２０１８年、日本の最高裁にあたる「韓国大法院」が、１９６５年の韓日請求権協定に基づいて日本から支払われた金額で最終結論にしたはずの案件を、卓袱台(ちゃぶだい)返しした。韓国の国内問題を日本に責任を押し付け追及するトンデモ判決である。日韓完全決裂となるはずが、少しでもその事態を避ける努力をしているふりで、日本にも韓国と同じ努力をするよう協力を仰ぐ無茶苦茶論理で動く国家であることが露呈した。サッカーでたとえれば、ゴールポストを動かすなど朝飯前で、日本から金をせびる材料を見つけ出すのだけは一流の詐欺国家と言える。

韓国は、日本が中心の「ＴＰＰ（環太平洋パートナーシップ）」の経済連携協定に参加表明し、福島県産の水産物の障壁を取っ払うかと思いきや、2023年3月30日、日本の足元を見た韓国大統領府は「福島産の水産物が国内に入ってくることは決してない」と発表した。これはバイデン大統領により「通貨スワップ」の可能性（日本が青天井の資金で韓国経済を救う）が出てくるや、態度をひるがえしたのである。

福島県産だけではない、韓国は福島以外の宮城など8県全ての水産物を放射能汚染物として輸入を許可せず、岸田政権を弱腰と見た直後、「TPP」にも参入できると踏んで、韓国流で押し切れると考えたのだろう。

日本の外交力が最低レベルなのではない、韓国と自民党の中核が同じ民族なので話が半島優先で決まる仕掛けになっているだけなのだ。

結果として、韓国は何も失わず青天井で日本人の税金をATMで降ろしつづけることができる。もちろん、その分だけ日本人の生活が大変な状況に陥る。これはロックフェラーのアメリカの思惑通りの仕掛けとなっているのである。

賠償命令を確定してから、日本企業に支払わせたら完全に国交断絶になることを恐れた韓国は、韓国主導で解決するとし、政府傘下の「日帝強制動員被害者支援財団」に財源を確保させ、後から寄付の形で日本製鉄・三菱重工業などの日本企業に支払わせる、ワンクッション置いただけの賠償金支払いシステムを手土産に、2023年3

月16日、尹錫悦（ユンソンニョル）大統領が訪日した。

それで韓国は、朴振（パクジン）外交部長官の言葉にあるように「韓国が賠償金を〝肩代わりする解決策〟を正式に発表すれば、日本政府は日本企業の財団への寄付を認める方針との日本メディアの報道も出ている」と、いつも通りの手口で先に公表し、さらにこう付け足した。

「被告企業は賠償金の拠出には参加しないものの、両国企業が〝未来志向的〟趣旨で別の基金を創設する案も公表される見通しだ」

このように韓国は何の譲歩もしておらず、何も失わずに日本にだけ賠償の譲歩を求めており、自民党は今まで何度も使われた「日韓未来志向」の三文芝居を永遠に続ける気でいる。

アメリカのバイデン大統領の意向の「日韓協調」を達成できる不変のツールとして、自民党はもろ手を挙げて尹大統領の来日を大歓迎した。

ただの茶番劇をまたしてもやるのも、同じ半島系同士だからで、自民党が「統一教会」と政権を握る限り、半永久に日本が賠償するシステムは稼動しつづける……。

これが半島と一緒に在日が「統一教会」と連立して日本人を支配する「ＷＧＩＰ／War Guilt Information Program（戦争罪悪感プログラム）」の実態であり、全て「アメリカ大使館（極東ＣＩＡ本部）」が台本を書いている。

日本人が目覚めない限り、半永久的に子々孫々に至るまで、日本人はアメリカと韓国に略奪されるだけでなく、収益の多くが在日シンジケートの資金源にされ、働いても働いても日本人の生活苦が進みつづけ、どんどん貧しく疲弊していくのである。

ロスチャイルドのイギリスと、ロックフェラーのアメリカは大和民族を一人として生かしておく気はなく、反抗すれば世界を裏切る悪党としてさらに殺しにかかる。

現在、ロシアに亡命中のエドワード・Ｊ・スノーデンは、自ら著した『スノーデン独白』の中で、２００９年2月に「ＣＩＡ（中央情報局）」を辞職した後、すぐに「ＮＳＡ（アメリカ国家安全保障局）」と契約を結び、「デル社（Dell Technologies）」に勤務、そのまま日本の「横田基地」（東京都多摩地域中部）のＮＳＡ関連ＤＥＬＬ施設で2年間業務を行った。その日本で「システム分析官」として働く間、将来、日本がアメリカに逆らった場合に備え、東京の「アメリカ大使館（極東ＣＩＡ本部）」と協力し、日本中の「原発」をボタン一つで電源喪失、一斉メルトダウン、核爆発させるシステムを完成させたと暴露している。

さらに日本中の「水力発電ダム」を「9・11（アメリカ同時多発テロ）」の際「ワールドトレードセンター」を破壊したのと同じ方法で連続破壊し、ダムの崩落で押し寄せる膨大な土石流で下流の街々を呑み込ませ、全国の「変電所」も瞬時にシャットダウンさせることで、向こう4年間は復興できないようにしている。悪の枢軸となった日本にアメリカの正義により復讐を果たすシナリオが出来上がっているというのだ。

last request 

日本人をホロコーストで殺し、日本列島から駆逐する——在日シンジケートの日本人完全支配は近い！

日本人を〝茹でガエル〟にするのが真の日本支配者「横田基地」の在日米軍と「アメリカ大使館（極東ＣＩＡ本部）」の終戦直後からの絶対的方針であり、在日シンジケートがアメリカに絶対的に従い特権を得るのが、終戦後の「ＷＧＩＰ（戦争罪悪感プログラム）」である。その方針を立てたのがロスチャイルドとロックフェラーであり、ダグラス・マッカーサーも彼らに利用されたと言える。

その〝茹でガエル〟とは、カエルをもてなすために温かい風呂に入れるのではなく、温めから徐々に湯を熱くしてき、危険と気づかず最後に茹で上がって一丁上がりとなるように、日本人をロングスパンのホロコーストで殺し、日本列島から駆逐する計画をいう。

その茹でガエル化の一つが「選挙」である。「国政選挙」で選挙区ごとの議員一人に対する有権者数の差が広がると、投票価値が不平等に陥り、憲法14条の「法の下の平等」に反することになる。この〝一票の格差〟が選挙後に問題視されても、自民党は本腰を上げる気は全くない。

例えば、有権者10万人の選挙区と1万人の選挙区が定数1人なら、1万人の選挙区では5000票で勝ちでも、10万人の選挙区で1万人では落選する異常事態が起きる。だから憲法的に〝違憲・無効〟の選挙の繰り返しで、アメリカでは1・数倍で違憲とされるが、組織票に強い自民党や「創価学会」は本気で改める気はなく、裁判所も「選挙は違憲だが、選挙自体は有効」という訳のわからないいい加減さのため、自民党有利のままの状態が長年続いてきた。

では2023年の「統一地方選挙」はどうなのかというと、実は国政よりも酷いのである……選挙もなく自民党の地方議員が次々と〝無投票当選〟を果たしているからだ!!

2023年3月31日に告示された「統一地方選」の41道府県議選の裏側だが、まず地方の市議会を「統一教会」の全面支援を受けた自民党が支配、結果的に野党は地元の市議会に足場がないため、県議選に候補者を立てるのが困難となる。その結果、全国各地の選挙区で定数を上回る候補者を立てられず、いつも自民圧勝の無投票当選が相次ぎ、4年前の岐阜県議選では無投票率47・8パーセントという異常さを呈した。

この国の選挙は、半島系の「統一教会」と、在日支配の自民党の癒着が半世紀以上も続き、その腐敗構造は「国政」より県の「県議会」「知事」、県より市町の「市議会」「町議会」の方がさらに深刻といえる。

これは、戦後のアメリカと在日朝鮮人の繋(つな)がりから始まった「闇市支配」の構造が原点である。その後の「在日特権」「在日就職枠」「特別永住権」「通名制」で戦後日本をアメリカによる特別待遇を得て支配力を増した在日が各分野に進出、それを文鮮明の「統一教会」が助ける構造で政治が支配されていった。

国政選挙は日本国籍を有することが条件のため、二重国籍の蓮舫議員も国会議員になれたがそれ以上に、日本国籍と通名を利用できる在日の巣窟となっていった……。

さらに半島系が日本政治を支配できたのは、戦後の旧ソ連の脅威を悪用した「統一教会」の「国際勝共連合」の存在が大きく、他にもいくつもの関連組織で、国政もさることながら、「統一教会」の毛細血管はむしろ地方で大きく張り巡らされていった。

「国際勝共連合」一つを見ても、1968年、韓国の朴正熙(パクチョンヒ)が主導し「KCIA（韓国中央情報部）」の指示で自民党が創設したのが「国際勝共連合」とされるが、韓国と在日系自民党に指示したのは、東京の「アメリカ大使館（極東CIA本部）」であり、もはや「統一教会」と毛細血管レベルで一体化する自民党と「統一教会」を切り離すことは不可能である。

「国政選挙」「地方選挙」「市議会選挙」も、「統一教会」の協力なくして運営はできず、もはや日本中が茹でガエル状態にどっぷり浸かっている。

最大の〝茹でガエル〟は全国最大の浮動票を持つ団塊の世代で、彼らの多くは選挙に行かない投票拒否者で、彼らが目覚めない限り、日本の半島支配構造は絶対に変わらない。

今の地方選挙で〝無投票当選〟が相次ぐ事態について、神奈川大学の大川千寿（ちひろ）教授（政治学）は「日本の民主主義の機能不全を端的に表している!!」と危機感を募らせる。

東京の「アメリカ大使館（極東CIA本部）」が戦後から仕掛けてきた〝茹でガエル〟にする最終段階に入ると、無投票当選が常識化し、「統一教会」と半島系が日本人を生かすも殺すも自由になり、在日シンジケートの日本人完全支配が完成する。

半島系「統一教会」から「宗教法人格」を取り上げることは、自民党とタッグを組む北朝鮮系とされる創価学会・公明党が許さない。というのも「統一教会」を排除すると、返す刀で〝政教分離〟の憲法違反である創価学会・公明党も排斥されるからである。

「憲法第20条3項」にある「いかなる宗教団体も、国から特権を受け、又は政治上の権力を行使してはならない」が信教に関わる完全な憲法規定で、アメリカの「モルモン（末日聖徒イエス・キリスト）教会」をベースとする「創価学会」を、政界に入れたのも「アメリカ大使館（極東CIA本部）」の息のかかった「法制局」だった。

ほとんどの〝茹でガエル〟の有権者たちは、地方の無選挙で政策論戦に触れることなく、選挙放棄の癖がつく中、立候補者に対する有権者による民主的チェックも働かない。最後は在日が支配する自民党と、半島系「統一教会」、さらに在日の全分野へのTOP支配構造が日本全国隅々まで浸透、後は天皇家だけの段階に達してしまった。「WGIP（戦争罪悪感プログラム）」をどれだけご存知かわからないが、大川教授は「競争は地域の活力の表れでもある。無投票が地方の元気をなくし、それが無競争を生む悪循環に陥っている」と日本の末期状態を嘆く。

無投票の背景には地方議員の「なり手不足」の問題もあるため、そこへ「統一教会」から送られる在日が次々と入り込む。そのため、とうとうビル・ゲイツ製母型ゲノム遺伝子操作溶液接種で、〝茹でガエル〟の殺戮がほぼ達成されてしまった……。

この「ＷＧＩＰ（戦争罪悪感プログラム）」の先に、ロスチャイルドとロックフェラーの「グレートリセット（Great-Reset）」＆「ニューワールドオーダー（New World Order）」があり、ここで大和民族の中核である「団塊の世代」が「一厘」の意地を見せれば、ヤ・ゥマトの希望の「神一厘」に大きな影響を与えることができるはずだったが、遅延死ワクチンを接種した以上、全て手遅れとなった。

last request ⑫ 米中戦争の現場は日本で、日本が第二のウクライナになるのは必至！　支配層の戦略をここに記す！

今の日本人の多くは、日常の忙しさに感け、あるいは精一杯生きることに忙しく、中国がアメリカと戦争になる可能性はけっしてゼロではないが、たとえ起きても中国本土とアメリカ本土で起きる頭越しの戦争で、不安ではあるが日本人にはほとんど影響がないと思い込んでいた。

しかし、それはあまりの平和ボケで、ロシアとＮＡＴＯの戦場が「ウクライナ」であったように、米中間の戦場は主に〝日本〟になるからである!!

なぜなら、米中ともに互いの本土に向けて核ミサイルを撃ち合えば、双方が共倒れになるだけで、今の「ウクライナ」のように日本を戦場にすれば、「戦術核兵器」を使ったとしても限定的で済み、結果、今まで平和ボケの茹でガエルで生きてきた日本人だけが大量に死ぬだけで済む……それが「シン・米中戦争」である。

現在、在日系自民党が圧倒支配する日本では、アメリカの「F-15Cイーグル戦闘機」48機が、沖縄の「嘉手納基地」から段階的撤退が始まり、海兵隊も5000人とその家族が本国とハワイへ撤退、残りの海兵隊4000人と家族もグアムへと撤退する。

「そんなはずはない、『日米安保条約』でアメリカが日本を守ると規定されている」と反論する人が大半だろうが、在日系自民党が日本人を長年の間そのように洗脳してきただけで、まず、日本人が日本のために戦うことが先決という条件付きだ。

「だって、日本は莫大な金をアメリカ軍に支払ってきたはずだ」と言う人も、在日系自民党に誤魔化されていただけで、アメリカ軍を用心棒に雇ってきたわけではない。

さらに言えば、在日アメリカ軍は空軍機と施設だけで、日本に駐屯しているのは、〝アメリカ軍〟ではなく〝海兵隊〟で、海兵隊は守備防衛が義務ではなく、外国を侵略し攻撃する専門部隊である。

だから攻撃用に大量の兵員を運ぶ「ＭＶ－22（オスプレイ）」が必要なのだ。敵前上陸作戦における兵員、車両、火砲などを、敵の戦闘地域に直接輸送する強襲揚陸任務の垂直離着陸機である。

外国を攻撃する軍隊なので、従来の2ローター大型ヘリ「チヌーク（ＣＨ46）」では脚が短く、速度が「チヌーク（ＣＨ46）」の2倍、輸送重量も3倍、空中給油も可能で、飛行半径は１０００キロ以上になる「オスプレイ」が必要なのだ。

そもそも「アメリカ軍」を外地で戦わせるには「アメリカ上下両院」の許可が必要で、極東のチッポケな島国を守るため、中国と全面核戦争をしてでも日本を守るアメリカ人がいるとは到底思えない。

一方、外国を直接攻撃する海兵隊は大統領直轄で、バイデン大統領の鶴の一声で自衛隊に対し、中国本土への攻撃を間接的に命じることが可能となった。

「そんなことができるわけがない。日本は独立国だ」と叫ぶ日本人は国際音痴の茹でガエルというしかない。李氏朝鮮の安倍（李）晋三が、半島系の「統一教会」の全面協力で「国政選挙」で大勝利した圧倒的議席数で、２０１４年7月、アメリカと一体化する「集団的自衛権」の法案を強行採決した。その結果、海外攻撃部隊の海兵隊に自衛隊を売り渡したことになった!!

歴代内閣が守ってきた「憲法第9条」を、解釈自由のコリアン風で簡単に投げ捨て、日本が攻撃されなくても自衛隊の海外武力行使を可能とし、以後、海兵隊と自衛隊は完全に一体化した。

つまり、アメリカは中国攻撃を日本に肩代わりさせる気でおり、そのために超音速ミサイル時代には廃棄品同様の「トマホーク」５００発を日本に買わせ、中国本土に届く中距離ミサイルを開発させ、海兵隊は日本から日本人の金でアメリカ本土やハワイの「安全地帯」にトンズラしていく。

李氏朝鮮の末裔の安倍（李）晋三を圧倒的に支持した山口県民に対し、アメリカ主導で「ＪＳｐＯＣ（米戦略軍）」の「宇宙監視ＤＳレーダー」が自衛隊の「ＪＡＤＧＥ（自動警戒管制システム）」を兼ねて、山口県山陽小野田市に建設された。その一方で、ＡＡコンビの片割れの麻生太郎を圧倒的に支持する福岡県民にも、東シナ海（尖閣諸島）、台湾、南シナ海（南沙諸島、西沙諸島）、中国の航空基地を破壊する、アメリカの中距離ミサイル「ＬＲＨＷ（長距離極超音速兵器）」（核搭載可能、射程２７７５キロ以上）が配備される予定だったが、福岡に配備されるのは日本の最新ミサイル「12式地対艦誘導弾改良型」へと変わった。

つまり、中国を攻撃するのはアメリカではなく日本という構図となる!!

結果、中国と日本で戦争になると、真っ先に中国が攻撃するのは山口県の「宇宙監視ＤＳレーダー」と、福岡県の「12式地対艦誘導弾改良型」１０００発の発射場となる。その両方に中国の超音速核ミサイルが撃ち込まれるのは当然で、一気にけりをつけるため、中国は最大規模の「ＩＣＢＭ（大陸間弾道弾）」の熱核反応で跡形も残さない可能性も出てくる。

所詮はアメリカ本土と遠く離れた極東の小さな島国が戦場になるだけで、膨大な数の日本人が熱核反応で蒸発しても、それはアメリカではなく中国の核ミサイルのせいである。

よってアメリカの良心は少しも痛むことなく、むしろアメリカの啓蒙思想「マニフェスト・ディスティニー（Manifest Destiny）」による〝アメリカの支配圏拡大における有色人種の大量虐殺を神は喜ばれ、アメリカ人を赦してくださる天命〟を満足させることはなくとも、少なくとも良心の呵責（かしゃく）からは十分に救われるのである。

中国の核兵器で完全崩壊した日本を、正義の同盟国アメリカが復讐を果たすため、悪の中国を日本列島から追い出すことで、世界に冠たるアメリカの姿勢を見せつける段取りである。

last request

ロスチャイルド、ロックフェラーは団塊の世代がワクチンで死に始める今こそがグレートリセットの絶好機と見ている⁉

1958年8月23日、中国沿岸部に位置する台湾の金門島に、毛沢東の中国軍が猛烈な一斉砲撃を開始、撃ち込まれた砲弾は数時間で6万発に達した。

当時の台湾は、アメリカと「相互防衛条約」を締結していて、台湾本島に「アメリカ軍」が駐留していたが、戦闘機などの通常戦力で、侵攻を開始する中国軍に勝つことは困難と判断、この「台湾海峡危機」に対し、アメリカ軍は中国本土への核攻撃の段階に入った。

元国防総省職員のダニエル・エルズバーグは、1958年の台湾海峡危機に関する極秘報告書で、アメリカ軍は中国沿岸部の航空基地のいくつかを小型核兵器（広島と同規模）で核攻撃する準備段階に入ったとし、当時のネイサン・トワイニング統合参謀本部議長は、台湾海峡危機への対応を協議する会議で、「中国の飛行場と砲台を小型核兵器で攻撃する必要がある。国防総省の全ての研究結果は、これが唯一の方法であることを示している」と発言していた。

当時の台湾有事の作戦計画「OPLAN25－58」では、中国沿岸部の航空基地と砲台を、沖縄の嘉手納基地から飛び立った爆撃機による小型核兵器で破壊し、フィリピンのクラーク基地からの爆撃機で破壊しても、中国が台湾攻撃を止めない場合、中国の戦争遂行能力を無力化するため、「戦略核兵器／ICBM」で上海等の大都市のいくつかを破壊する計画だった。

しかし、そうすると当時の中国の友好国だった旧ソ連が参戦し、台湾本島とアメリカ軍基地がある沖縄に報復核攻撃を行う可能性があった。それでもトワイニング統合参謀本部議長は、「台湾の沿岸諸島の防衛をアメリカの国家政策とするならば、結果は受け入れなければならない」と主張したが、結果的にアイゼンハワー大統領は米ソ核戦争を怖れ、中国への核攻撃を断念する。

この1958年の台湾海峡危機の状況は今も変わらないため、アメリカは通常戦力で絶対優位の中国に勝利するには先制核兵器使用しか選択肢はないと判断しており、2006年、「ワシントン・ポスト」紙が報じた台湾有事の作戦計画「OPLAN5077」に核兵器使用のオプションが含まれていると公表した。

現在、アメリカ軍が中国を核攻撃した際、報復の対象となるのは、全面核戦争となるアメリカ本土ではなく、アメリカの軍事施設が集中する沖縄と日本本土になるとされる。

事実、自民党の中曽根（当時）総理大臣が、レーガン（当時）大統領に約束した「日本をアメリカの不沈空母にしてくださっても結構です」により、アメリカは北海道から沖縄・南西諸島まで、日本全土の多くの地域に「中距離ミサイル」を配備する戦術に切り替え始める。それは中国が攻撃目標とする場所が日本に数多いほど、アメリカ本土へ向かうはずの核ミサイルを減らせるからだ。

それだけ中国に負担を課すことになるというのが、白人の〝合理的軍事戦略〟で、「米中戦争」で圧倒的に死ぬのは平和を半世紀も満喫した日本人という図式になる。

現在、「ペンタゴン（アメリカ国防総省）」は日本の自衛隊は、安倍（李）第二次内閣で「集団的自衛権」を受け入れた以上、自衛隊員はアメリカの海兵隊に吸収され、最前線に送り込まれる。地域的にも自衛隊が台湾有事（尖閣諸島有事）の当該部隊となる。

在日系自民党が、次々と日本人を徴収して戦地に送っても、茹でガエルの日本人有権者の多くは傍観するだけで、中国の核ミサイルの熱核反応で蒸発しても何が原因でこうなったかもわからないだろう。

「アメリカ式合理主義」とは、アメリカの世界覇権の啓蒙思想「マニフェスト・ディスティニー（Manifest Destiny）」のことで、アメリカに歯向かう中国を叩きのめす「防壁」として、同じ有色人種の日本人を、アメリカの「明確な使命」の世界戦略の中に位置付け、カラード（有色人種）同士をいくら殺し合わせても神（イエス・キリスト）が喜ぶ〝アメリカ型神話〟の達成を正当化できるのである。

戦後、ダグラス・マッカーサーから〝戦勝国民（民族）〟と持ち上げられ、「ＧＨＱ／General Headquarters（連合国軍最高司令官総司令部）」製の「ＷＧＩＰ／War Guilt Information Program（戦争罪悪感プログラム）」と一体化した「在日就職枠」「特別永住権」「通名制」の「在日特権」により、在日朝鮮人が「統一教会」と一体化して日本の政界を含む日本の全分野に侵入、そこで互いに高い地位を得て、日本人を支配できる恩恵を受けてきた。

その中枢となる自民党は、半島系「統一教会」と血肉を共にする「在日シンジケート」を形成、同じ半島の北朝鮮系とされる創価学会・公明党と一緒に、「ＷＧＩＰ」を完成させるためアメリカへの忠誠に邁進する。

それが李氏朝鮮の勝利を告げる日本支配の王、奈良で暗殺された安倍（李）晋三から一気に露骨になり、その延長になる岸田政権は、自ら進んで〝アメリカの防壁〟の役割を果たそうと邁進している。

結果として、台湾有事から「米中戦争」が勃発した場合、その〝主戦場〟は米中にとって必要な台湾ではなく、極東のウクライナは「日本列島」となり、死ぬのも日本人となる。

仮にアメリカが「南極大陸」を軍事的に手に入れる際、そこに棲息するペンギンが絶滅しても、「アメリカ式合理主義」から資源確保が重要なので決行し、同様に日本人が消滅した日本列島をアメリカ領にすればＯＫとなる。

邪魔な中国軍を日本列島から追い払うのも「アメリカ式合理主義」からは正しく、日本の陸と海底に眠る無尽蔵の金鉱床、レアメタル、レアアース、マンガン団塊、メタンハイドレート、さらに最近発見された茨城県沖の世界最大規模の石油資源を、全てロックフェラーが手に入れることができ、焼け野原になった「伊勢神宮」の地下から「ユダヤのレガリア」と「箱」も頂戴できる。

そうすれば、横田基地からアメリカ軍の輸送機がイスラエルまで運び、「第三神殿」を建設することになり、全イスラム教徒をロシアと組ませ、邪魔なフランスやドイツを地上から消すため、ＥＵ全土を火の海にする「第三次世界大戦」の限定核戦争を勃発させることができる。

それには、ビル・ゲイツ製母型ゲノム遺伝子操作溶液の効果が如実になる前を狙わねばならず、できれば接種3年後に突入する2023年度中か、2024年に中国を暴走させねばならない……。

もはや「パワーブローカー（Powerbroker）」として世界の「パワーゲーム（PowerGame）」を仕切る「イルミナティ【後期】／Illuminati（Late-day）」に時間は無く、段取りより早すぎたロシアのプーチン大統領の「ウクライナ侵攻」で、全ての段取りが狂った付けを、ロスチャイルドとロックフェラーは取り戻すのに必死の有様となった。

これが達成されてこそ、ロスチャイルドとロックフェラーによる「グレートリセット（Great-Reset）」＆「ニューワールドオーダー（New World Order）」が完成し、そのために日本人（特に多数いる団塊の世代）を茹でガエルにする必要があったわけで、その多くは2023年から〝遅死効果〟が本格化する「ビル・ゲイツ製母型ゲノム遺伝子操作溶液」の接種で、一斉にバタバタと死に始めるため、後は全てが「超リッチスタン（Hyper-Richistan）」の理想世界へ進行する……。

ロスチャイルドとロックフェラーの理想郷とは、「AI（人工知能）」、「ロボテック・テクノロジー（ロボット技術）」、「バイオテクノロジー」の三本柱による世界で、

ＡＩ管理で、5億の奴隷以外の人間をほとんど必要としない〝ロボテック技術社会〟と、〝ゲノムの遺伝子工学〟によって永遠に生きるロスチャイルドとロックフェラーの一族によるパラダイスをいう!!

last request

有色人種絶滅の使命⁉ マニフェスト・ディスティニーは今も世界を裏から動かしている⁉

今の日本人は、欧米から「ダチョウ」と思われている……。

ダチョウは周辺が大火事になると、慌ててクチバシで穴を掘り、その中に頭を入れたら、そのまま大火事は自分を通り過ぎると思っているからだ。

戦後の日本人は、アメリカの「ＷＧＩＰ」により、国防意識ですら憲法違反とされ、仕方がないので苦肉の策の「警察予備隊」からスタート、アメリカから見た共産主義拡大の防波堤になった。

その時に必要なのが半島系の「統一教会」で、韓国の「ＫＣＩＡ」と協力しながら自民党と一心同体で選挙に勝ち、「国際勝共連合」を興して東京の「アメリカ大使館

（極東CIA本部）」と連携していった。

その間、アメリカの傀儡（かいらい）の自民党は、日本人に対し「安保条約」「新安保条約」もさることながら、平和憲法で、日本は二度と戦争をしない国となり、アメリカ軍がいるので戦争に巻き込まれる心配もないと豪語、防空壕や核シェルターも一切必要ない国を創ると空約束、それが平和国家である証と洗脳した。

要は、ダグラス・マッカーサーの置き土産の「WGIP」の最終目的が、アメリカの根本的啓蒙思想「マニフェスト・ディスティニー」にある〝有色人種絶滅の明確な使命〟であることを、在日朝鮮人は知らされていない。アメリカに逆らった日本人を合法的にホロコーストするには、〝戦争放棄〟の詭弁で洗脳し、いったん核戦争が起きたら最後、一人残らず熱線と放射能で死に果てるよう仕組んでいるのである。

東欧の「ウクライナ」と違い、極東の「日本」で同規模の戦争が起きた場合、戦える現職自衛隊員は24万人しかおらず、ほとんどの日本の男性はライフルの撃ち方一つ知らない……つまり戦場を逃げ回るしか能がない男ばかりとなる。

今の日本人の多くはマスゴミに騙され、今も在日アメリカ軍と思い込んでいるが、実際は敵地侵攻の専門部隊の「海兵隊」であり、その海兵隊と「集団的自衛権」を結んだ以上、敵地攻撃部隊と一心同体となる自衛隊は、海兵隊と同じ扱いで適地を攻撃する部隊となる。

中国と戦うだけではない。海兵隊が攻撃する北朝鮮、ロシア攻撃にも駆り出されるため、日本は自民党により中国だけでなく、北朝鮮、ロシアから先制攻撃される羽目に陥ってしまった!!

だからこそ中国本土に届く中距離ミサイルをアメリカではなく日本が開発している。中国一国からだけでも発射してくる中距離ミサイルの物凄い数を全弾撃ち落とす能力がない自衛隊は、逆にやられる前に先制攻撃することを「横田基地」が「アメリカ大使館（極東CIA本部）」を介して自民党に命じてきた。それを、自民党が圧倒的議席数で承認し〝敵国領内の基地を攻撃できる〟「先制攻撃」を承認した。

当然、そんな真似を日本がアメリカに操られてやったら最後、「国連」の常任理事国である中国に手を出した、「国連」の敵国条項にある日本への復讐は10倍返しの「中距離多弾頭ミサイル」と、音速の5倍以上の「DF－17極超音速滑空ミサイル」が何十発も飛んでくることになる。

それを8隻のイージス艦だけで迎撃できるわけがなく、その多くが迎撃を擦り抜けて日本に着弾、福岡市などの大都市で核爆発すれば多くの市民が熱核反応で蒸発する……。

その状況作りで、ロスチャイルドとロックフェラーは、ウクライナに大量の戦車と「F－16」を含む戦闘機を続々供与していくわけである。ロシアを追い詰める必要があり、それに対抗してプーチン大統領がウクライナに戦術核兵器を使用しても、アメリカもイギリスもNATOも「第三次世界大戦」を恐れて動かない〝現実〟を習近平に見せなければならない。

そうでないと習近平がアメリカからの報復を恐れて日本を核攻撃できないからだ!!

そのためには、まずロスチャイルドのイギリスが、ウクライナに提供する最新鋭戦車「チャレンジャー2」に〝劣化ウラン弾〟を付けることで、ウラン238、ウラン235の放射性物質でウクライナを放射能汚染させ、ロシアに戦術核兵器を使いやすくする……。

さらに、ロックフェラーの手先のバイデン大統領に命じ、ロシアに一刻も早く戦術核兵器を使わせるには、十字のマークを付けたドイツの戦車「レオパルト2」をウクライナの占領地（ロシア領）に突入させる演出が必要となる。

そうすれば「第二次世界大戦」でナチスドイツの戦車がロシアに侵入するシーンを連想させ、プーチン大統領とロシア国民に核兵器を使う理由にさせることができる。

プーチン大統領がロシア本土とベラルーシから戦術核兵器をウクライナに撃ち込む

と、次が日本の番になる。

あえて最悪の危機管理から、その時の状況を分析すると、中国の傘下にある北朝鮮から東京と大阪へ核ミサイルが2～3分で着弾、ロシアから極超音速ミサイル「キンジャール」が北海道から東北地域に次々と飛来、中国を含む三方面から次々と核ミサイルが着弾し、日本人は全滅する。

バイデン大統領の言いなりで尻尾を振り、アメリカの虎の威を借る岸田総理大臣は、日本人を核で皆殺しにする切っ掛けを作った男になる……。

last request ⑮

自民党の裏は統一教会、表は創価学会、この両輪こそがアメリカによるステルス支配のカナメ！

今や、アメリカにとって「WGIP（戦争罪悪感プログラム）」は99・9パーセントが達成、日本人の大半が真綿で首を締められる〝茹でガエル状態〟となり、残り0・1パーセントの〝一厘〟が天皇徳仁（なるひと）陛下の周辺だけとなった。

日本人の顔で亡国へ一気に向かわせる自民党の正体は、半島系「統一教会」と骨肉まで合体する「清和会」を中核とした「在日シンジケート」で、日本中の津々浦々まで蜘蛛の巣を張るように拡大している。

「在日シンジケート」の存在はほとんど誰にも気づかれておらず、国政よりも地方政治の方が重篤化し、通名を使う〝日本人擬(もど)き〟に、ほとんどの日本人が騙され、在日朝鮮民族に従う構図が定着化している。

その多くが、日本国籍を得て（日本生まれの在日の子は日本国籍で、親が帰化すれば日本国籍が持てる）、韓国籍のままの在日も通名制（韓国名と日本名の両方を自由に使い分けていい仕組み）で日本人に成り済ませるため、地方自治体への就職はもちろん、「統一教会」の協力体制で地方選に出馬し、勝利するシステムが出来上がっている。

その自民党と連立するのが、北朝鮮系とされる池田大作が興した「創価学会」の公明党で、東京都港区の「アメリカ大使館（極東ＣＩＡ本部）」が、在日が支配する「法制局」に命じ、「憲法20条」で規制されるはずの〝政教分離〟に「創価学会」の政界入りは違反しないと許可させた。

「公明党」を興した池田大作は、朝鮮名「ソン・テチェク」といい、「統一教会」を興した半島系の文鮮明と同じ朝鮮民族である。

池田大作の父は、「日韓併合」後の「太平洋戦争」直前に半島から渡ってきた男で、当然、日本国内に先祖の墓はなく、日本人を証明できる江戸時代からの寺の「過去帳」もなければ「系図」もない。

韓国SGIの機関紙「和光新聞（ファガン）」（2005年5月20日637号）で、池田大作は、「小国（日本）の倨傲、大恩人の貴国（韓国）を荒らし」と記し、豊臣秀吉の朝鮮出兵に対し、朝鮮から仏教をはじめ様々な文化的恩恵を受けた大恩を踏みにじる侵略と強く非難、日本が朝鮮を裏切ったのは半島への劣等感の裏返しとし、今の韓国人と全く同じ思考パターンを展開している。

逆にそれこそが、ダグラス・マッカーサーがアメリカ帰りの李承晩（リショウバン）と密約した〝戦勝国民（民族）〟の扱いと関わる基本構造で、池田大作が戦後の「アメリカ大使館（極東CIA本部）」の言いなりだった証拠ともなる。

さらに、福岡県久留米市で開かれた「創価学会：第一回男子部九州総会」の講演で、池田大作は、「太平洋戦争」で広島と長崎がアメリカの原爆投下で焦土と化したのは、日本が「日蓮正宗・創価学会」を弾圧し、正法を誹謗（謗法）した報いと断じる。

戦後、池田大作は全国各地の在日に向けて、「わが同胞よ、日本から迫害を受けてつらかったろう。これからは我々と協力して日本に一泡吹かせてやろうではないか」

と呼びかけ、全国の在日を積極的に取り込むことで瞬く間に「創価学会」を巨大化させていった。

それは、自民党の裏を「統一教会」が支え、表を「創価学会」が支える両輪でアメリカの〝ステルス支配〟を支える構造を物語っている。

創価学会名誉会長時代、池田大作が韓国に建立した「反日の碑」に、日本を「東海の小島」「小国」と愚弄し、韓国を「数多の文化文物をもたらし尊き仏法を伝え来た師恩の国」とし、さらに「隣邦を掠略せず天地を守り抜く誉の獅子の勇たぎる不屈の国」と表現、今の韓国人の中枢的思考を形成している。

池田大作は、東京都大田区の朝鮮人集落に住んでいたが、半島から移住して間がないソン・テチェクは日本語がうまく話せず、周囲から浮くほど寡黙だったが、近くの大森海岸で海苔業と関わる父を手伝っていた。

学会機関紙「大白蓮華」（２０００年3月号）に掲載された池田の人生記録に、「父が韓国語を教えてくれた思い出がある」「私の少年・青年時代に多くの在日韓国朝鮮人の方々との出会いがあった」と堂々とカミングアウトしており、「韓日文化交流」の名称で判明するように、池田大作は「韓」を「日」の前に必ず置いている。

「創価学会インターナショナル」が発行する機関紙では、「竹島は韓国の領土」と明確に記述する創価学会・公明党は、国政に関わる資格などないはずが、東京の「アメリカ大使館（極東ＣＩＡ本部）」が庇護する中、公明党の存在は今回の「統一教会」の宗教法人格剥奪に慎重の姿勢を示し「統一教会」を守る役目を果たしている。

ロックフェラーが支配する「アメリカ大使館（極東ＣＩＡ本部）」が、自民党を支える「統一教会」「創価学会」を失ったら、「イルミナティ【後期】Illuminati（Late-day）」が目指す「グレートリセット」による「ニューワールドオーダー」に不可欠な在日自民党が一気にカオス状態に陥る。

全世界を騙す最終段階となる「全国家・全民族・全宗教」を平和の名で統一するには、世界中の目を引き付けるユダヤの「レガリア」が絶対に欠かせない。

「One-World運動」による「One World Government（世界統一政府）」設立のためにそれを日本から奪う際に邪魔になるヤ・ゥマト（ヤハウェの民＝大和民族）のホロコースト（民族絶滅）が中途半端に陥ると、生き残った大和民族の精鋭を目覚めさせる事態を招くことになる。

ホロコーストが不完全になれば、その反動で大和民族を「レガリア」の下に集結させ、世界を解放するドミノ倒しが起きる危険があり、ニムロドの直系のロスチャイルドはそれだけは断じて許さない!!

ロックフェラーに命じて、日本人絶滅を徹底させてくる!!

last request

「大和民族に天皇は必要ない」これが池田大作、創価学会の基本姿勢である！

「統一教会」の宗教法人資格を剥奪できず、解散命令も出せない場合、その裏で「創価学会」、つまり公明党が動いたことがわかる。

既に国会議員たちの間で噂されている「宗教2世救済問題を本気でやろうとしたら、公明党が必ず潰しに来ます」はけっして冗談ではなく、創価学会究極の教えは「一人一殺」だからだ。

「創価学会」の基本は「日蓮宗」だが、日蓮自身が天皇を己の日本支配の道具としか考えていなかったふしがあり、一般民衆への布教より支配階級に日蓮宗を布教、最終的に天皇に布教することで日本を実質的に支配しようと考えていた。

これを「国家諫暁（こっかかんぎょう）」、または「国主諫暁（こくしゅかんぎょう）」といい、当時、天皇百代でこの世が亡ぶ「野馬台詩（やまたいのうた）」と、仏陀の「末法思想」が一致すると信じられた時代で、天変地異、政変、元寇が相次ぐ大混乱の世相を、日蓮は巧妙に利用し、「己の教えこそ日本国を救う思想である」と宣言、鎌倉幕府の要人を中心に「直撃布教」を繰り返していた。

そこに、「日蓮宗」以外の宗派は全て偽物で、「神道」も何の役に立たないと断じ、当然、神道の長の天皇（鎌倉時代は帝）も不要と考えていた。

あまり着目されないが、戦前の日本を「軍国主義」に導いた多くの思想家たちには「日蓮宗徒」が数多く、クーデターで日本を転覆して動かす思考に日蓮の教えが色濃く反映していた可能性がある。

その一例として、日蓮宗に帰依した井上日召は、海軍青年将校に接近、武力による国家改造を目指すようになり、「血盟団」を組織して〝一人一殺主義〟により暗殺を計画、「血盟団事件」を起こして小沼正に（元）蔵相井上準之助を、菱沼五郎に三井合名理事長団琢磨を殺害させた。

日本の政党政治を軍部の暴力で転覆した「5・15」「2・26」に関わる陸海軍部の青年将校や、暗に反乱を起こさせた軍の中核に、多くの日蓮宗徒がいたはずで、青年将校らにとっては昭和天皇に直訴する国主諫暁の「天皇への布教」を意味したはずなのだ。

その「日蓮宗」の原理主義を唱える「創価学会」の基本姿勢は「大和民族に天皇は

必要ない」である!!

池田大作自身が、天皇を重視しない思想を推し進めた張本人で、池田大作名誉会長の主著で、戸田城聖・創価学会第2代会長の言葉として書かれている『人間革命』に以下の一節がある。

「仏法から見て、天皇や、天皇制の問題は、特に規定すべきことはない。代々つづいて来た日本の天皇家としての存在を、破壊する必要もないし、だからといって、特別に扱う必要もない。……中略……具体的にいうなら、今日、天皇の存在は、日本民族の幸、不幸にとって、それほど重大な要因ではない。時代は、大きく転換してしまっている」

池田大作にとって「天皇はさして重大でない」とする以上、公明党も同じで、創価学会に至っては事実上の教義である。

恐るべきは池田大作の「日本国民の3分の1が創価学会員になれば、布教は完成する!!」で、これは日本から神道（天皇）を追い出し、「創価学会」の教義と入れ替える。つまりは自分が天皇と入れ替われば日本は変わることを示唆しているのである。

1928年生まれの池田大作（ソンテチエク）を、「創価学会」は今も生きていると主張するが、まさにカルト宗教そのものである。信者を失いたくないからと虚言で騙す宗教団体は、これだけで解散命令を出すに十分だが、東京の「アメリカ大使館（極東ＣＩＡ本部）」はそれを許さないだろう。

last request

創価学会は「モルモン（末日聖徒イエス・キリスト）教会」のコピーで作り上げられていった⁉

２０１７年5月14日、韓国の「無窮花友好グループ」主催の「韓日友好の碑：建立十八周年記念式」が、福岡県糸島の唐津湾と接する可也山の「創価学会・福岡研修道場」で開催された。

「可也」の名は、朝鮮半島の「伽耶」から来ている。神武天皇のヤ・ゥマトの大軍勢が、朝鮮半島の東（後の新羅）に興した「秦韓」「弁韓」で南朝を含む12支族が揃うのを待ち、集結後に半島最南端の「伽耶」または「加羅」から、物部氏の女王が治める「邪馬台国」の危機を救うため、一気に海を渡った歴史を地名に残した。

京都丹後の「籠神社」は、極秘伝から、神武・崇神・応神を全て同一人物とし、神功皇后まで〝神〟の一字を共有する同一人物とするため、欠史八代どころではなく、応神天皇に仕えた、武内宿禰も、初代天皇の神武と一緒に渡来したことになる。

九州の上陸地点は、当時の大陸からの受け入れ港だった「唐津港」で、その名は伽耶の「可也山」同様、加羅から「加羅津」とし、物部氏の烏（倭宿禰（やまとのすくね））と秦氏の烏（からす）（武内宿禰）が行き来したため、烏が加羅から飛び立つ「加羅巣」で〝カラス〟と名付けられた。

しかし、半島は大陸の強国から日本列島を守る堰（せき）になるため、新たに任那（ミマナ）と名付けて「日本府」を置き、「百済」の馬韓（朝鮮民族）に半島の東を返還する役目と同時に、大陸の情勢を窺い、半島で発見した「鉄」を日本に送っていた。

話を現代に戻すと、「創価学会」の佐藤政春参事は、前述の式典に参加した金玉彩（キムオクチェ）総領事を前にして、「かつて通名を使うことで身分を明かすことを躊躇（ためら）っていた在日韓国人が、池田大作名誉会長が、公の場で韓国を〝大恩人の貴国〟と称したのを機に、自分が韓国人であることを明かす人が増えた」と紹介している。

その記念式に参加した日本人の通名を持つ在日女性２５０人は、母国韓国の伝統衣装「チマチョゴリ」を身にまとっていた。

この式典で公開された韓日友好の碑文に、池田大作の言葉〝大恩人の貴国〟と〝心を閉ざして相対すれば戦いとなり、胸襟を開き相語れば平和となる〟の言葉が刻まれた。

1930年に「創価学会」を興したのは、初代会長の牧口常三郎と理事長（2代目会長）の戸田城聖で、当時は「創価教育学会」という「日蓮正宗」の法華講（信徒組織）の一つに過ぎなかった。

が、そこへ、アメリカから帰った池田大作が現れると、一気に組織が完成、布教とともに在日を含む日本人が次々と入って巨大化し、さらに「アメリカ大使館（極東CIA本部）」の協力で「公明党」設立の準備ができた頃、「日蓮正宗」側が池田大作が支配する「創価学会」を異端として追放する。

池田大作は、初めて渡ったアメリカの西海岸で、「モルモン（末日聖徒イエス・キリスト）教会」と接触し、教会の全てのシステムと組織化を習得、その後、「創価学会」を組織化し、一気に巨大化する手筈を整えていった。

「モルモン（末日聖徒イエス・キリスト）教会」のコピー版の一例を示すと、教会の権威の流れである「天の父なる神↓御子のイエス・キリスト↓モルモン（末日聖徒イエス・キリスト）教会」を、仏教に置き換えた「仏陀↓日蓮↓創価学会」とし、青少年や成人クラス、女性部などの年齢性別組織、さらにモルモン教徒の神殿の癒しの儀式もコピーし、病気の信者の名を書いた紙を「創価学会」専用の仏壇の裏に置き、信者全員でお題目を唱える等々、数え上げたらきりがない。

案の定、戦後、日本に再上陸した「モルモン（末日聖徒イエス・キリスト）教会」も、「アメリカ大使館（極東ＣＩＡ本部）」の指導に従い、「ＷＧＩＰ」の通り「ＰＢＯ（中央管理本部）」の前身が、職員募集を行って、在日を数多く採用していった。やがて教会職員の上層部を占めた在日職員たちは、自分の家族がいる地域の教会指導者へ天下りし、全地域の日本人の信者を支配していった。

２０２０年、「モルモン教会」のソルトレイクの指導者は、ビル・ゲイツ製母型ゲノム遺伝子操作溶液の接種を教会員に大々的に勧めるメッセージを出し、「ファイザー」「モデルナ」「アストラゼネカ」等のゲノム溶液の開発者（ビル・ゲイツを含む）を褒め称えた上、アフリカなどの未開発地域の人々に大量の遅延死ワクチンを送った。

モルモン教徒で、最近までビル・ゲイツのMicrosoft副社長を務め、日本マイクロソフト社長として辣腕を振るった男性（日本人のフルネームを持っている）が、ビル・ゲイツを介して日本とモルモン教会の懸け橋になるかもしれない。

となると、「ＧＨＱ」が見つけた文鮮明の「統一教会」と、アメリカ大使館のＣＩＡが主導した池田大作（ソンテチエク）の「創価学会」と、その池田大作がノウハウを得たアメリカ生まれの「モルモン教会」の三本柱が出揃い、ビル・ゲイツと一緒に天皇家に接近する可能性がある!!

last request

独立国でない日本に北方四島が返ってきたら アメリカ軍がすばやく自軍の基地を築くだろう!

〝茹でガエル〟にされた日本人は「日米安保条約」「日米新安保条約」の裏に隠れた「日米地位協定」を知らない。

外務省の在日高級官僚が全省庁の在日グループに発行した『1983年12月版：日米地位協定の考え方〈極秘〉』の中に、「アメリカは日本国内のどんな場所でも基地にしたいと要求することができる!!」「日本は合理的な理由なしにその要求を拒否することはできず、現実に提供が困難な場合以外、アメリカの要求に同意しないケースは想定されていない!!」とある。

実はこれには条件があり、日本人が「日米安全保障条約」を結ぶ限り、日本独自の政策判断で、アメリカの基地提供要求に対し逆らうことが禁止されているとある!!

以前から、日本の固有の領土とされる「北方四島（択捉島（エトロフ）、国後島（クナシリ）、色丹島（シコタン）、歯舞（ハボマイ）

群島)」を日本に返すことで、プーチン大統領は柔道の「引き分け」で、両国の妥協点を見つけようとしたが、北方四島（二島でも）を日本に返したら最後、独立国ではない半独立の日本では、アメリカ軍が北方領土に我が物顔で乗り込んできて「第七艦隊」の寄港地を建設するのではないかと疑い始めた。

日本の外務省発行の極秘マニュアルで事実を知った当時のメドベージェフ首相は、2019年8月、北方領土を訪問し「北方領土は第二次大戦後にロシア領になった!!」と正式に表明した。

「日米地位協定」では、北方四島にアメリカが「海兵隊基地」を建設でき、ロシアを狙う「ミサイル基地」も配置できると確認したからだが、鈴木宗男議員もこの情けない「日米地位協定マニュアル」を知っていたら、「北方四島返還運動」で無駄な時間を浪費せずに済んだだろう。

2016年11月19日、「APEC（アジア太平洋経済協力会議)」が開催されたペルーのリマでの「日ロ首脳会談」の席で、プーチン大統領は安倍（李）首相に対し「君の側近が『島（北方四島）にアメリカ軍基地が置かれる可能性はある』と言ったらしいが、これで返還交渉は終わった!!」と断言した。

その会談の前、「日米地位協定の考え方〈極秘〉」の内容確認のため、プーチン大統領に呼び出された元外務次官の谷内正太郎国家安全保障局長は、嘘を伝えられないため、「返還された島にアメリカ軍の基地を置かないという保証はできかねる」と伝えた。

官邸では、北方領土とアメリカ軍基地の問題について、アメリカと改めて交渉しようとする動きはあったが、アメリカ側は笑って一蹴した……。

日本は戦後から一貫して、アメリカの占領下にある準領土（プエルトリコと同じ半独立の自治領）だからである!!

こんな仕掛けも知らず、戦後ずっと日本人は日本を独立国と信じ込み、裏でアメリカと在日自民党に騙されてきたのである。

この不可解極まる戦後日本とアメリカとの関係は、「ＷＧＩＰ」で身分が保障された上級国民（在日）と交わされた構造で、戦後日本とアメリカとの〝裏の掟〟が決められていた!!

実は、自民党の国会議員はある意味で飾り物に過ぎない……真の日本のエリート層は「霞が関官僚」で、国会答弁を見ればわかるが、シナリオを描いているのは全て国家官僚である。

大臣であれ、総理大臣であれ、全て霞が関を支配する国家官僚が書いた〝台本〟を、

「国会」の場で忠実に読んでいるに過ぎない。

「国会」どころではない。「地方議会」も全て公務員がシナリオを書き、それを議会で議員が読んでいるだけの茶番劇で、質問も地方公務員が書き、ほとんどの〝質問と回答〟を一人の公務員が書いている。

霞が関を支配する日本の通名を使う在日朝鮮人が、「アメリカ大使館（極東ＣＩＡ本部）」の忠実な飼い犬としてＣＩＡに従っている。

こんな茶番劇が、戦後日本の「民主主義」の正体で、和歌山県で危うく殺されそうになった岸田首相の、こんな暴力に屈せず、民主主義を断固として守り抜くという姿勢は、何かの冗談か茶番以外の何物でもない。

実は後で詳細に公表するが、さらなるボスが「横田基地」のアメリカ軍で、霞が関の在日シンジケートは「横田基地」のアメリカ軍将校たちに、月2回も呼び出されている!!

本気の命懸けで陸海軍部と闘っていた戦前の政治家に自民党は遠く及ぶべくもない。

同様に、欧米のウクライナ支援も、ロスチャイルドとロックフェラーの体制維持のために闘う茶番で、そんなものに付き合わされるウクライナ国民は気の毒というしかない。

last request

日本の裏の掟を知れ！ 戦後日本軍と入れ替ったのがアメリカ軍部、日本特権階級となったのは在日朝鮮民族！

戦後日本を決定したのは、多くの日本人から解放者として人気を集め、アメリカに帰国する際は国民総出で別れを惜しんだダグラス・マッカーサーである。日本人はマッカーサーの大統領選挙出馬と勝利を祈願したとされる。

当時の日本人は、マッカーサーが薩長（鹿児島県の薩摩、山口県の長州）を中心とした日本帝国軍から解放してくれたと考えていたのだ。

当時の日本軍部は、際限のない軍備拡張で国家予算を食い尽くし、それを抑えようとした犬養毅首相を、海軍青年将校らが暗殺、それを「5・15事件」（1932年）というが、当時、国民のために決起したという青年将校らにほとんどの国民が同情し、全国的な「助命嘆願運動」が起き、「裁判所」の裁判官も涙を流して彼らを減刑、極刑にしなかった。

結果として、今度は陸軍青年将校らが海軍に負けじと決起、「2・26事件」（193

6年）を起こし、蔵相の高橋是清、内大臣の斎藤実らを殺害、高橋是清は日本銀行総裁経験者で第20代内閣総理大臣経験者だったため、日本経済立て直しに最適な人物を失った。

これにはさすがに昭和天皇も激怒し、彼らを反乱軍としたことで、日本政府は「戒厳令」を出し、陸軍（統制派）が青年将校（皇道派）らを制圧したが、海軍はこの動きを事前に知っていて、軍備拡張のチャンスと見て見ぬふりをした。

これらの事件で「議会政治」は終焉に向かい、日本軍部が政治を握って国民を先導することで破滅への道を加速し始める。

彼ら軍部の中核を「藩閥」といい、「明治維新」に関わった薩摩藩、長州藩、土佐藩、肥前藩出身の「薩長土肥」が中核を占め、〝薩の海軍、長の陸軍〟と呼ばれた。

その日本の癌を切除してくれたのがマッカーサーで、日本軍に資金を提供して大儲けしていた財閥まで一緒に解体してくれた英雄として、感極まった者の中に「アメリカによる日本民族の断種」さえ願い出る者もいた。

ところが、日本の財閥を解体したマッカーサーの背後にいたのは、アメリカの巨大財閥のロックフェラーとモルガンで、さらにその背後にいたのがロスチャイルドだった。

それどころか、日本軍と入れ替わったのが、アメリカ政府ではなくアメリカ軍部という構造に、今の日本人でさえ全く気づいていない。

これが今も健在な〝日本の裏の掟〟であり、日本は「アメリカ政府と日本政府」の関係ではなく、「アメリカ軍部（ペンタゴン）と日本特権階級（在日朝鮮民族）」が基本となっている。

この裏構造は、アメリカ陸軍元帥で連合国軍最高司令官だったダグラス・マッカーサーの占領下の〝軍事密約〟を起源とする。

それが現在の日本の「最高裁判所」「検察」「外務省」の「裏マニュアル」にされ、「日米合同委員会」を形成、これが自民党の在日首相としか条約交渉しないアメリカ政府の根幹で、在日中心の「日本会議」は日本の軍拡化を正当化する外部団体となる。

政界は、李氏朝鮮の安倍（李）晋三どころか、小泉（朴）純一郎も半島系なら、自民党最大派閥の「清和会」に至ってはほとんど半島系で占められ、自民党で圧倒的な力を持ち、文鮮明の「統一教会」と孫の代まで密着している。

「第二次安倍内閣」が、コリアン式解釈で「集団的自衛権」を圧倒的議席数で法案可決させたが、それで自衛隊が「日米新安保条約」の上でアメリカ軍と対等の立場で行動すると考えるのは大変な間違いである。アメリカ政府ならいざ知らず、日本を支配するのはマッカーサー以来ずっとアメリカ軍部（ペンタゴン）で、上下関係が全ての「軍組織」で対等な相互協力などあり得ない!!

アメリカ政府が日本を「サンフランシスコ講和条約」（1952年）で独立国と認めても、アメリカ軍部（ペンタゴン）が、マッカーサー以降、日本を軍事支配する構造上、日本は軍事的には自国防衛すら放棄した半独立の自治領に過ぎない。現在も東京の「アメリカ大使館（極東ＣＩＡ本部）」がワシントンの間を仲介する役目になっている!!

だから霞が関を支配する在日高級官僚が、「統一教会」と一体化する自民党を従わせ、アメリカ軍のために軍事力を増強させ、憲法解釈を変えて海外派兵できるようにし、斯くしてアメリカ軍にすり寄ればすり寄るほど、ワシントンのアメリカ大統領ではなく、直接的にアメリカ軍司令官のもとで、さらなる従属的立場が増す仕組みになっている。

明確に言うと、アメリカ軍部と日本との「集団的自衛権」は、「ペンタゴン」に従属する意味で、政治的にワシントンとの間で結ばれた「日米新安保条約」とは全く関係がない!!

つまりマッカーサー以降、日本支配における「横田基地」のアメリカ軍は、アメリカ国内の「シビリアン・コントロール（文民統制）」の支配を受けない、軍事的な「治外法権」を日本で得ていることになる!!

このことから、日本はアメリカの基本的啓蒙思想「マニフェスト・ディスティニー（Manifest Destiny）」の有色人種絶滅思想の一歩手前、有色人種隔離政策でいうインディアンの「居留地」と似た扱いで、アメリカの「騎兵隊」が監視した頃に近く、同じ有色人種の在日特権階級（上級国民）が鍵を持つ牢番をしている構造だ。

ほとんど全ての日本人は、「ペンタゴン」により生かさず殺さずの農奴として働かされ、そこから上がる多くの利益から、アメリカ政府は「植民地税（米国債購入）」と「日本保有金塊保管（実質的譲渡）」でワシントンは満足し、「ＷＧＩＰ」に従い、永久に日本の罪を言いつづける韓国も、在日自民党による日本の分け前分配で成り立っている。

なぜそんなアメリカ軍部による〝治外法権〟を、「ホワイトハウス」が認めるかというと、「ペンタゴン」を支配する「軍産複合体」の「ＤＳ／Deep State（闇の政府）」の支配者ロックフェラーに逆らえないからである!!

last request

横田空域、地位協定、憲法第9条は日本を永久に半独立国に留めおくためのものなのか!?

終戦直後、ダグラス・マッカーサーの「ＧＨＱ」は、日本統治と日本人洗脳のため、「ＣＩＳ／Civil Intelligence Section（民間諜報局）」と「ＣＩ＆Ｅ／Civil Information and Education Section（民間情報教育局）」に作らせた「ＷＧＩＰ」に従い、在日朝鮮人を戦勝国民とする日本人支配に乗り出した。

その作戦は見事に成功しており、ほとんどの日本人は敗戦を機に惨めな戦争を思い出したくもないため、防衛力さえ放棄する「憲法第9条」を受け入れるが、以下がその第9条である。

「第9条：日本国民は、正義と秩序を基調とする国際平和を誠実に希求し、国権の発動たる戦争と、武力による威嚇又は武力の行使は、国際紛争を解決する手段としては、永久にこれを放棄する。」

「前項の目的を達するため、陸海空軍その他の戦力は、これを保持しない。国の交戦権は、これを認めない。」

しかし、これでは欧米白人諸国で構成される国際法では、「独立国家」の基本を形成する「自存自衛」を成さないため、「WGIP」と「憲法第9条」の日本は、永久的に〝半独立国〟のままとなる。その結果、マッカーサーは「アメリカ軍による永久駐留体制」をアメリカ政府に認めさせることになる。

つまり日本は、軍事的に自国防衛すらできない自治領以下の半独立国家であるため、アメリカ軍が日本全土を、対共産主義の砦として支配する。そういう構造が出来上がった!!

結果、日本に戻ったはずの沖縄に、いまだに日本全国のアメリカ軍専用施設の70・3パーセントにあたる31カ所が集中する。アメリカ軍部および「ペンタゴン（アメリカ国防総省）」から見た日本は、敗戦以降、「WGIP」「憲法第9条」を受け入れた〝半独立国家〟である。そのため、「地位協定」によりアメリカ軍部が支配できる「不沈空母」の扱いとなる。

沖縄どころか、日本の首都東京の上空もアメリカ軍が支配する「横田空域」のままで、日本の航空機はアメリカ軍の許可がないと首都上空を飛ぶことも許されず、JAL、ANAも「横田空域」を避けて飛んでいる。

この「横田空域」とは、東京の場合、上板橋駅、江古田駅、沼袋駅、中野駅、代田橋駅あたりの上空を南北に走るラインを東域とし、世田谷区、杉並区、練馬区、武蔵野市などは、ほぼ全域が「横田空域」に入る。

アメリカ軍直轄の「日米地位協定」により、アメリカ空軍機は東京上空の「横田空域」でどんな軍事演習をすることもでき、アメリカ政府との交渉しか許されない自民党政府の許可は全く不要で、文句を言う権利は日本側には一切ない。

だから「オスプレイ」は富士演習場〜厚木基地ルートを低空飛行でき、横田空域内でアメリカ空軍機が墜落して都民に膨大な数の死傷者が出ても、アメリカ軍が補償金を払うことも一切ない。

１９７７年9月27日、「横田空域内」でアメリカ軍の「ファントム機」が燃料満載の状態で横浜市緑区（現・青葉区）に墜落した時、母子3名が死亡、重軽傷者5名、家屋全焼１棟、損壊3棟の大事故となったが、パイロット2人はパラシュートで脱出した後、自衛隊機で「厚木基地」に無事運ばれ、その後、アメリカ本国へ帰国している。

アメリカ軍の日本支配における「地位協定」により、日本側に損害を求める権利は一切なく、半独立国における「地位協定」を結ぶアメリカ軍と、「日米新安保条約」

を結ぶアメリカ政府とは契約上は全く別という考え方だ。

ならば「憲法第9条」を破棄し、「軍備増強」に踏み切ればいいと短絡的に考えたら最後、最悪の場合は在日アメリカ軍ではない「海兵隊」に自衛隊が吸収される。そのためダグラス・マッカーサーが仕掛けた仕組みから逃げることは永久にできない。

それを保持するために発足したのが「日本会議」で、何も知らない日本人に向け、国際常識の「自存自衛」「闘える軍隊」「憲法第9条破棄」を謳い上げることにより、結果として「ペンタゴン」の傘下か、あるいは海兵隊なら大統領直轄に組み込まれるように仕向けていく。

last request 21

日本を半独立国固定に使われた「マッカーサー・メモ」はフェイクだった可能性が高い！

1950年10月、「(旧)日米安保条約」の原案が出されるが、その4カ月前のダグラス・マッカーサーのメモに、「条文案」があり、そこにとんでもない内容が記されていた。

「日本全土が、アメリカ軍の防衛作戦のための潜在的基地とみなされなければならない」

「アメリカ軍司令官は、日本全土で軍の配備を行うための無制限の自由を持つ」

「日本人の国民感情に悪影響を与えないよう、アメリカ軍の配備における重大な変更は、アメリカ軍司令官と日本の首相との協議なしには行わないという条項を設ける。が、戦争の危険がある場合はその意にあらず」

このメモは「マッカーサー・メモ（6・23メモ）」と呼ばれ、4年前に同じ人物が平和憲法となる「憲法第9条」を日本政府に押し付けていたとは思えない。

一体マッカーサーに何が起きたかというと、「朝鮮戦争」（1950年6月25日〜）が勃発する2日前に、この「マッカーサー・メモ」が書かれた意味は大きく、「朝鮮戦争」勃発に気づかなかったマッカーサーが、今までの日本占領政策の要だった日本の非軍事化以外の、アメリカ軍の早期日本撤退を自分から取り消した意味になる。

よく指摘されるのは、終戦直後の日本に対する〝アメリカの変貌〟で、「朝鮮戦争」前は日本を戦争放棄の平和憲法国家にするはずが、「朝鮮戦争」勃発後は日本の再軍備と「朝鮮出兵」を、当時のジョン・フォスター・ダレス国務長官顧問が吉田茂首相に迫ったことだ。

実は、当時、アメリカの日本占領政策について、アメリカ国務省とアメリカ軍部は真っ向から対立していた。

興味深いのは、ダグラス・マッカーサーも国務省と同じく早々に日本占領から撤退することで、一説では大統領選挙までに日本を後にしたかったとされている。

１９３６年以来、アメリカの共和党の大統領候補として、マッカーサーが指名を求めていたからで、１９４８年の大統領選挙への出馬を望んでいたことがわかっている。

しかし、憲法上、現役軍人は大統領になれないことから、占領行政の早期終結と凱旋帰国を望んでいたマッカーサーは、１９４７年あたりから「日本の占領統治は非常にうまくいっている」と本国に打電し、「平和憲法」を与えたため「日本が軍事国家になる心配はない」と、日本占領を終わらせるメッセージを送りつづけ、国務省も占領政策を早く終えるつもりだった。

ところが、１９４８年のアメリカ大統領選を狙っていたマッカーサーの願いは叶えられず、１９５０年に「朝鮮戦争」が勃発する。マッカーサーは38度線を越えた北朝鮮軍を中国国境まで押し戻したが、突然、中国人民解放軍（名目は義勇軍）１００万が参入、アメリカ軍を中心とする国連軍は12月のクリスマスまでに帰国できなくなった。

その時、マッカーサーは原爆使用をトルーマン大統領に求めるが、旧ソ連との核戦争を恐れたトルーマン大統領はマッカーサーを解任するのである。

その時、アメリカ軍部は日本の占領終結に猛反対の立場をとっていく……中国共産党と旧ソ連が手を結び、日本に駐留するアメリカを仮想敵国とする軍事同盟「中ソ友好同盟相互援助条約」を成立させたからだ。

そこに登場したのがダレス国務長官顧問で、アメリカ軍に日本永久統治を認める代わりに、政治的意味を持つ「日米安保体制」を認めさせ、国際社会で表向きの独立を承認するよう交換条件を出したのだ。

ダレス国務長官顧問が、その時に利用したのが「マッカーサー・メモ」で、それを在日アメリカ軍に見せることで、「以前は日本の独立後の米軍駐留に反対されていたマッカーサー元帥も、現在は日本全土を基地として使いつづける構想を持っておられる」とした。

それを確認した在日アメリカ軍は、日本の半独立制を突いてアメリカ軍の永久駐留を可能とし、アメリカ政府には国際的にアメリカが日本を正常な独立国にした二重ロジックを作り出した。

「朝鮮戦争」勃発から2カ月半後の1950年9月8日、トルーマン大統領によってアメリカ軍との妥協案、「アメリカは日本中のどこにでも、必要な期間、必要なだけの軍隊を置く権利を獲得する」、「軍事上の問題については平和条約から切り離した別の二カ国協定（旧安保条約）を作り、その原案は国務省と国防省が共同で作成する」が承認され、実質、在日アメリカ軍が日本をアメリカのためにどう扱ってもいいことになった。

現在、アメリカ国務省が公開するマッカーサーの「6・23メモ」の原文には、脚注として以下の内容が書かれている。

「このメモは、本資料集に収録されていない6月29日のアリソン（当時、国務省の北東アジア局長）のメモに、4番目の添付資料としてファイルされていたもの」

つまり、「マッカーサー・メモ」なるものは、ダレス国務長官顧問だけが主張する「朝鮮戦争」の2日前に書かれたのではなく、偶然、「朝鮮戦争」開戦時に日本にいたダレスが、マッカーサーを説得して「朝鮮戦争」寸前に思い直した形のフェイクだった可能性が指摘され始めている。

このやり口は、フランクリン・ルーズベルト大統領が、コーデル・ハル国務長官と一緒に仕組んだ「ハル・ノート」というメモ書きが、日本が勝手に最終通告と勘違いし、ハワイの真珠湾を攻撃させるためのフェイクだった手口と同じである。

つまり戦前から戦後にかけて、日本はアメリカから2度もフェイクを摑まされ、アメリカ軍部「ペンタゴン」の直接支配を受ける半独立国の事態を招いていることになる。

last request

日本にあるレガリアを探せ！　戦後GHQは利島（伊豆諸島）と三ツ子塚（石川県羽咋）、四国の剣山を徹底調査している！

アメリカ軍がアメリカ政府に代わって、戦後日本を統治するための「日米合同委員会（Japan-US Joint Committee）」を主宰するが、それは〝アメリカ軍のアメリカ軍によるアメリカ軍のための会議〟が実態で、その規模が把握できない方のためには、「アメリカ国防総省（ペンタゴン）の、アメリカ国防総省による、アメリカ国防総省のための会議」と言い直した方がいいかもしれない。

つまり、日本を直轄統治しているのはアメリカ政府ではなく、「軍産複合体」の要である「アメリカ国防総省（ペンタゴン）」そのもので、その「軍産複合体」を支配するのが「DS／Deep State（影の政府・闇の政府）」であり、そのTOPが基軸通貨発行の権利を握るロックフェラーという仕組みである。

そのロックフェラーを最終的に動かしているのが、絶対神ヤハウェに逆らい世界を人で満たすことを妨害した暴君ニムロドの末裔のロスチャイルドで、祖先のニムロドは「バベルの塔」を築いて天に矢を放った男だ。

世界の超大国を自負するアメリカが、日本という島国を軍事力で露骨に支配する理由は、ダグラス・マッカーサーが「厚木基地」に着陸した後、早い時期に日本の3カ所を封鎖したことで見えてくる。

終戦直後、「ＧＨＱ」が最初にやった一つは、「伊豆諸島」と「石川県羽咋郡宝達志水町河原（三ツ子塚古墳）」を日本領から外して徹底調査したことだ。

伊豆諸島の一つ「利島」は島全体が四角錐のピラミッド型をした島で、テニアン島を離陸した「Ｂ－29爆撃機」が東京を空襲する時、このピラミッド型の島を目安に進路を東京に向けていた。

その島を自然物と思わなかった「ＧＨＱ」は、アメリカ軍を「利島」に派遣して島の彼方此方をボーリング調査させている。

一方、石川県羽咋の「三ツ子塚」を封鎖したのは、そこに「モーセの墓」がある伝説があるからで、アメリカ軍が古墳を暴きに入ったことがわかっている。

その後、アメリカ軍は四国の「剣山」にも入り、頂上で長い間滞在していたことを地元の古老たちが証言している。

当時、ダグラス・マッカーサーは、「伊勢神宮」の内宮の地下宮に「契約の聖櫃アーク（御船・本神輿）」と「十戒石板（合わせ鏡一対の八咫鏡）」が保管され、外宮の地下宮に「マナの壺（八尺瓊勾玉）」が保管され、「熱田神宮」の裏鳥居奥の地下に「アロンの杖（草薙剣）」が保管されていることを知らなかった。

今は飛鳥昭雄がイスラエルでユダヤの政府機関「アミシャーブ」の元ＴＯＰの（故）アビハイルと会談し、東京の「イスラエル大使館」の駐日イスラエル大使だったエリヤフ・エリ・コーヘンとも直接会って伝えてから、アメリカ国防総省はユダヤの「レガリア」の場所を知ることになった。

問題は、なぜ終戦間際のアメリカが、日本に当時存在した全ての原爆（19発）を投下してまで大和民族を根絶やしにしようとしたかで、それは、ベルリンの地下で発見した「闇のアルザリアン」の巫女が示す言葉があったからだ。

赤人と青人の二人の巫女は、今も「ＤＳ／Deep State（影の政府・闇の政府）」が支配する「アメリカ国防総省（ペンタゴン）」の深い地下にいて、ヤ・ゥマト殲滅を命令している。

ユダヤの「レガリア」が日本から出てきたら最後、アシュケナジー系ユダヤの白人は全て偽ユダヤとバレ、白人より霊的に上に立つのが大和民族となれば、それも大預言者モーセの末裔が天皇となると、欧米人のショックは大地の底が抜ける程度では済まなくなる。

さらに、神の最終兵器「三種の神器＋聖櫃」が大和民族の手にある状況を変えないと、アメリカ軍が直接日本を支配し監視してきた仕掛けが全くの無駄になる。

そのためには「統一教会」も「創価学会」も「モルモン（末日聖徒イエス・キリスト）教会」も徹底的に利用し、天皇家からユダヤの「レガリア」を強奪しなければならず、海兵隊を置いていたのは、逆らえば日本を攻撃するためだ。

「WGIP」も「日米合同委員会（Japan-US Joint Committee)」も「日米地位協定」も「日米新安保条約」も「憲法第9条」も、戦後日本を封印する全ての「裏の掟」は、「イルミナティ【後期】」のロスチャイルドとロックフェラーが「パワーブローカー」として存在する、「超リッチスタン」だけの世界構築のためで、それに必要なのが「新世界秩序」への「グレートリセット」であり、そこにヤ・ウマト（大和民族）が顔を出したら全てが無駄になる!!

最終的にアメリカ軍部は海兵隊に日本を総攻撃させるが、その時に自衛隊が逆らえば壊滅させてでも日本を破壊する……。

が、その前に中国人民解放軍に日本を無数の戦術核で焼き滅ぼさせる方が都合がよく、アメリカの基本的啓蒙思想である「マニフェスト・ディスティニー」的にも、有色人種同士で亡ぼし合わせる方が合理的で理に適って（かな）いる!!

last request

日本人は宇宙人に対する人質!?　ロズウェルUFO墜落事件の搭乗員は大和民族と同じ遺伝子を持っていた!?

今の日本人には理解不能だが、「アメリカ政府とCIA（アメリカ中央情報局）」、「アメリカ政府と国防総省（ペンタゴン）」「CIAとNSA（国家安全保障局）」は、仲が悪い。

「太平洋戦争」の最中でも、アメリカ海軍とアメリカ陸軍の仲の悪さは戦線に影響するほどで、当時は空軍が存在していなかったため、大型爆撃機「B-29」の奪い合いもさることながら、アメリカ陸軍元帥のダグラス・マッカーサーと、アメリカ海軍元帥のチェスター・ニミッツは互いに功績を争った。

が、実はその裏には、陸軍参謀総長ジョージ・マーシャルと、アーネスト・キング合衆国艦隊司令長官の陸海軍の対立があった。

「ロズウェル事件」が勃発した1947年、大慌てでアメリカ空軍を組織した軍は、陸・海・空各軍の統括組織「国防総省（ペンタゴン）」を発足させるが、新たなアメリカ空軍発足に対しても、海軍中心の空母機動部隊構想を主張するジェームズ・ヴィンセント・フォレスタルが激しく対立、最終的に初代アメリカ国防長官フォレスタルは、精神に異常をきたし病院の窓から飛び降り自殺する。

さらに「ホワイトハウス」の住人が共和党か民主党かにより、国防総省内の勢力バランスが変わり、内部の共和党派か民主党派かで「国防総省」の人事が一変する。

最も悲惨だったのが、JFKとCIAの確執で、グアテマラでCIAが軍事訓練した在米キューバ人によるキューバ侵攻の「ピッグス湾事件」（1961年）が起きた際、計画に非協力的だったJFKによって作戦が失敗したことで、CIAはケネディ兄弟に対して激しい憎悪を抱いたとされ、それが後のケネディ兄弟の暗殺劇に繋がったとされる。

急に話が飛ぶようだが、UFOといえば「エリア51」とされるほど有名な極秘軍事施設だが、昔からCIAとアメリカ軍が支配権を奪い合う地で、もともと「エリア51」はCIAが開発した地域で、CIAが資金を出して「U－2型高高度偵察機」を開発し、「冷戦時代」から60年以上もアメリカの国防とスパイ活動に使われてきた。

ネバダ州にある広大な盆地のグルームレイクの中にある「エリア51」への行き来は、広大な塩平原にできた「ネリス飛行場」だが、そこはアメリカ空軍の「ホーミー空港」とも呼ばれ、「エリア51」の権利はアメリカ海軍が最終的にCIAから奪い取った歴史がある。

それでも開発者への敬意から、「エリア51」の存在を公表する権利はCIAに与えられ、2013年に「情報公開法」への請求権に基づき、CIAが資料を公開する形で、「エリア51」の存在を公式に認め、公然の秘密だったネバダ州内の地図も公表した。

日本における主導権も実は同じで、アメリカ政府（ホワイトハウス）とアメリカ軍部（ペンタゴン）は今も日本での優先権争いを続けており、ダグラス・マッカーサーが解任されて以降、アメリカ軍による治外法権的支配下に置かれる日本は、アメリカ政府が認める独立国ではなく、国際法的に自衛権を放棄した〝半独立状態〟のため、アメリカ軍が日本を永久統治せざるを得ないとする。

日本支配の根幹が「日米合同委員会」で、「横田基地」から来るアメリカ側の7人と、日本からは「WGIP／War Guilt Information Program（戦争罪悪感プログラム）」における特権を有する在日シンジケートの6人が、毎月隔週木曜日の午前11時から都内のアメリカ軍基地「六本木ヘリポート」に着陸し、南麻布のアメリカ軍施設「ニューサンノー・アメリカ軍センター」で秘密会議を行ってきたが、後になって日本側代表が在日議長の場合は外務省の施設内でも行われるようになる。

アメリカ側メンバーのTOPは、「在日アメリカ軍司令部副司令官」で、「アメリカ大使館公使」はその下、他5人は「在日アメリカ軍司令部第5部長」「在日アメリカ陸軍司令部参謀長」「在日アメリカ空軍司令部副司令官」「在日アメリカ海兵隊基地司令部参謀長」「在日アメリカ海軍司令部参謀長」が参加する。

一方、霞が関を支配する在日特権階級（上級国民）から、「外務省北米局長」を筆頭に、「外務省北米局参事官」「法務省大臣官房長」「財務省大臣官房審議官」「防衛省地方協力局次長」「農水省経営局長」が参加する。

この構造は、政治家が軍の暴走を抑える「シビリアン・コントロール（文民統制）」から大きく逸脱し、初めて参加した外交官のアメリカ大使館公使は、マッカーサーの占領時代と全く同じ、アメリカ軍の権力が日本国内法を遥かに超え、たとえ日本人を殺しても罪に問われない状況に驚くという。日本は明らかに独立国ではない扱いだからだ。

沖縄返還交渉を担当したリチャード・リー・スナイダー駐日首席公使は、国際的に最も異常なアメリカ軍主導の「日米合同委員会」の存在に激怒し、「アメリカの軍人たちが日本の官僚と直接協議を行い指示を与えるのは極めて異常で、日本との関係はアメリカ大使館の外交官によってのみ処理されなければならないはずだ」（「アメリカ外交文書／Foreign Relations of the United States」１９７２年４月６日）と述べている。

実はここに「エリア51」が関わっており、アイゼンハワー大統領以外のアメリカ大統領は「エイリアン（異星人）」のことは聞かされないのだが、地球内天体「シャンバラ（アルザル）」から地上に飛来し墜落したＵＦＯの搭乗員が大和民族と同じ遺伝子（ＹＡＰ＋）であるということが、「ロズウェル事件」で判明する。

この驚くべき結果は軍とＣＩＡ以外には極秘とされ、「アメリカ国防総省（ペンタゴン）」が「ＷＧＩＰ」の「在日シンジケート」を利用し、日本人をアメリカ軍部の徹底監視下に置き、エイリアンと交戦状態になれば、人質として日本人を皆殺しにできるようにしておくことになった。

日本における「国防総省（ペンタゴン）」の異常なまでの支配構造は、東京都港区にある「アメリカ大使館」の中でも、CIA職員の一部しか理由を知らず、天皇徳仁(なるひと)陛下の飛行機事故による暗殺を目的に送り込まれた剛腕のラーム・エマニュエル大使でさえ、「国防総省（ペンタゴン）」が表に出さない極秘情報にアクセスできない。

last request ㉔ 日本の半独立半主権国家扱いはアメリカ軍の強力な主導で進められてきた！

超大国アメリカは日本人が考えるような一枚岩ではなく、巨大な敵を絶えず作らないとバラバラになる本質的構造を持っている。

過去の歴史を見れば明らかで、旧大陸から大西洋を越えてアメリカ東海岸に上陸して力を蓄えたピューリタンは、当時の世界最大の覇権国イギリスと闘って「独立戦争」（1775〜83年）を起こし、「西部開拓時代」（1860〜90年）にアメリカ先住民（ネイティヴ）を皆殺し同然に居住区へ閉じ込め、同時に、共喰い同然にアメリカ内戦となる「南北戦争」（1861〜65年）を起こす。

その後、行き止まりの西海岸から海に乗り出すと、ハワイを喰らって50州としたアメリカは、各々で法律が違う州が集まる「合衆国」である。都市部が多い東西地域は民主党が占め、広大な中部と南部は共和党が占める「南北戦争」と似た対立構造が生まれている。トランプVSバイデンの大統領選挙で「NSA（国家安全保障局）」のデータ改ざんで起きた大統領選挙の不正による「連邦議事堂突入」（2021年）で、「政党対立」が一気に激化する。

さらに、アメリカ大統領経験者に対しては初となる、トランプ（前）大統領の起訴を決行したニューヨーク州大陪審であり、同州の知事は民主党で、共和党が猛反発し、もはや修復不可能という一発即発の〝準内戦状態〟というのがアメリカの現実だ。

「第二次世界大戦」以降だけで、旧ソ連を最大の敵とする「冷戦時代」（1945〜89年）を築き、トランプ政権から中国を最大の敵とする「米中対立（米中貿易戦争）」（2017年〜）が際立ち、「ウクライナ侵攻」からロシアを敵とする「新冷戦時代」（2022年〜）に突入、さらにバイデン大統領は火に油を注ぐ「民主主義サミット」（2021年）を開催、「民主主義陣営VS権威主義陣営」という対立をわざと作り出した。

幼稚園からホワイトハウスまで「軍産複合体」というアメリカは、世界最大の軍事国家であり、戦争が「公共事業」である。そのため、世界が平和になると崩壊する……それもあって自分で火をつけてから消す「マッチポンプ」（自作自演）を繰り返している。

と同様に、「太平洋戦争」で、戦後、アメリカ政府（ホワイトハウス）は日本を西側陣営に迎えるため、国務省とともに日本を独立させる「サンフランシスコ講和（平和）条約」（１９５１年）を締結したが、これに猛反対したのが旧ソ連だった。

が、それには理由があり、アメリカ軍の永久的日本駐留に反対したのである……それともう一つ、日本の平和独立に猛反対したのが、そのアメリカ軍だったのである!!

連合国の間で約束した日本占領期限が来る2年前の１９５０年初頭、アメリカ軍部（国防総省）は日本独立に絶対反対の立場をとったことを知る日本人はほとんどいない……

その表向きの理由は、核保有国の旧ソ連との対決、その旧ソ連と同じ共産主義国家となった中国の存在が大きく、日本を独立させた結果、共産主義化したら元も子もないということだった。

そこでアメリカ軍部は、「アメリカ外交文書（ＦＲＵＳ）」（１９５０年1月18日）で、「日本を独立させるなら、在日アメリカ軍の法的地位を変えない半分だけの平和条約を結ぶこと」（陸軍次官ヴォーヒーズ）や、「政治と経済について、日本との間で正常化協定を結ぶのはいいが、軍事面では占領体制をそのまま継続すること」（バターワース極東担当国務次官補）という主張を展開した。

結果、アメリカ政府は「朝鮮戦争」（１９５０年〜）が38度線で継続のままのため、「国防総省（ペンタゴン）」に日本における治外法権的特権を与え、トルーマン大統領を引き継いだ大統領が、アメリカ陸軍元帥のドワイト・デイヴィッド・アイゼンハワーだったことも手伝い、戦後日本占領体制を固定化させるに至った。

結果、在日アメリカ軍の法的地位は占領軍と同じに固定し、軍事占領体制をそのまま継続、日本は憲法第9条で自存自衛を永久放棄した半独立半主権国家扱いにし、本当の日本の姿を日本人に隠すため、１９５２年に発足したのが「日米合同委員会」であり、在日で形成される「日本会議」もそのカモフラージュを担当している。

last request

全ては「日米合同委員会」で決められている！ホワイトハウスでもなく、日本政府でもなく、決定するのはペンタゴンと在日高級官僚だけ！

アメリカの軍部、すなわち「国防総省（ペンタゴン）」による日本直轄統治は、本国の「ホワイトハウス」と「日本政府」の承認を必要とせず、アメリカの「国防総省（ペンタゴン）」と「霞が関（在日）高級官僚」による、「日米地位協定」（１９６０年）の運用協議機関「日米合同委員会」が日本統治の根幹をなしている。

終戦直後のダグラス・マッカーサーによる進駐軍支配体制が今も日本で続くのは、防衛を含む軍事力の方向と流れをアメリカ軍を中核とする「日米合同委員会」が決定するからだ!!

日本の支配者であるアメリカ軍と日本の高級官僚（在日）は、隔週木曜日に合意した内容で日本人を支配するが、圧倒的不平等な「日米地位協定」により「国会」の承認を必要とせず、国民に公開する必要もないとされる。

これが戦後から日本に永久的に存在する〝半主権国家の裏の掟〟で、ダグラス・マッカーサーの「ＷＧＩＰ／War Guilt Information Program（戦争罪悪感プログラム）」による「在日特権」「在日就職枠」「特別永住権」「通名制」を伴う「在日シンジケート」のもとの〝対米従属〟の根幹をなしている。

２００１年から両国は、日米間の経済障壁を改善する目的で、『年次改革要望書』を交わしていたが、アメリカ政府の経済目的の要望書（実質１００％命令書）は、正式には『日米規制改革および競争政策イニシアティブに基づく日本国政府に対する米国政府の年次改革要望書／Annual Reform Recommendations from the Government of the United States to the Government of Japan under the U.S.-Japan Regulatory Reform and Competition Policy Initiativ』といい、自民党はほぼ全てアメリカ政府の言いなりになっている。

民主党政権で一応廃止されたが、日本の戦後支配の裏をアメリカ軍が行い、表をアメリカ政府（ホワイトハウス）が牛耳る体制が出来上がり、日本の真の支配者はアメリカ政府ではなく、アメリカ国防総省（ペンタゴン）という事実を知らねばならない!!

このアメリカの表裏双方の命令を、在日シンジケートに一手に引き受けさせることで日本人を支配する、アメリカのステルス支配構造が日本人を搾取している。

今も戦後の進駐軍支配体制のまま、日本人はプランテーションの農奴のように必死に働きながら自民党が決める通り年貢を納めているが、毎年、アメリカが「米国債」という名の植民地税として搾取、日本は米国債保有額で世界一を続け、２０２２年12月の日本の米国債保有額は１兆７６３億ドルに及ぶが、実質的に米国債を売ることが許されないため、「植民地税」となる。

さらに「日銀」が保有する、日本人の労働の産物ともいえる総量７３０トンの金塊も、そのほとんどをロックフェラーの持ち物の「ＦＲＢＮＹ／Federal Reserve Bank of New York（ニューヨーク連邦準備銀行）」が半強制的に保管している。

世界最大の覇権国の保証でアメリカに保管される世界各国の金塊は、誰もその姿を見た者はなく、「ニクソンショック」でドル札とゴールドを交換できる「金本位制」が崩壊した時点で、世界から預かる金塊の多くをアメリカが使い切ったとされる。

日本を支配するアメリカ軍に対し、在日系自民党は、毎年、奴隷の日本人の年貢から莫大な額の「おもいやり予算」を譲渡しており、２０２１年の時点で向こう5年間、アメリカ軍に1兆円超が支払われ、それもアメリカ軍基地の維持費は別という有様で、本来、アメリカ側が支払うべき費用を日本人奴隷が負担する仕組みである。

さらに、沖縄からグアム島への海兵隊９０００人（家族を含む）の撤退費用28億ドル（約３７４７億円）まで、日本が支払う事態に至っては、まさに今の日本人は白人の奴隷といえ、アジアを鬼畜米英から解放する「大東亜共栄圏」は一体どこへ行ったのか？

last request

原爆は19発用意されていた！ アメリカ軍は日本人が本当のユダヤ人と知っており、それゆえに日本と日本人を消滅させたかった!!

日本の戦後教育体制により、「ＧＨＱ（連合国最高司令官総司令）」「ＷＧＩＰ（戦争罪悪感プログラム）」のもと、戦前の日本は世界に恥ずべき国だったとする教えが徹底される。

国家を人体に置き替えればわかるが、戦闘を放棄した人体は、「白血球」「マクロファージ」「ナチュラルキラー細胞」が働かず、ウイルスやバクテリアに感染しても闘わない。

平和憲法を持っていても、国際的に認められた「自存自衛権」も放棄するのはさすがにおかしいと、「警察予備隊」からスタートした「自衛隊」は、その自存自衛から名付けられたが、相手が攻撃してから防衛のために戦う「専守防衛」が徹底された。

ところが、敵の対艦攻撃ミサイルが命中してからでは、反撃する前に沈没してしまうため、自殺行為容認ともいえる「専守防衛」は、言葉は美しくても、馬鹿馬鹿しくて茶番以外の何物でもない。

現場で戦う自衛隊は現実的だが、都会で生活をする一般サラリーマンは、ライフル銃を撃った経験もない人がほとんどで、多くの日本人は「水と安全はタダ」と教えられ、バブルの崩壊劇までは「日本はアメリカに戦争に負けたが経済で勝った」と信じ込んでいた。

実はこのような〝平和ボケ〟が「日米合同委員会（Japan-US Joint Committee）」の戦略で、「相手が銃を向けても、こちらが微笑(ほほえ)みを返せば戦争にならない」は「国会」の場で真面目に答弁された言葉だ。

平和の美名で魂(たま)を抜かれた日本人は、平和ボケの「茹でガエル」となり、今回の「統一教会」と自民党の癒着問題直後の「統一地方選挙」でも、ケロッと忘れて岸（李）信介以来、在日が占める自民党に多数の議席を与えた。

ダグラス・マッカーサーが推し進めた「ＷＧＩＰ」の目的は、日本全体の緩慢な死であり、その最大のターゲットが天皇家だった。

天皇家を滅ぼすには、男系による安定的皇位継承をさせないことが合理的である。カトリック教会とプロテスタント教会の一夫多妻禁止を守らせるだけで、男系中心の天皇家はいずれ必ず消滅する。

突然でなくても、天皇家は緩慢に数十年後に男系の子孫を残せなくなるからだ。白人のアシュケナジー系ユダヤは女系優先だが、それに逆らうのが『聖書』を中心とする男系継承であり、天皇家である。

そのため、マッカーサーは「11宮家51名（うち皇位継承者26名）及びその男系子孫」を皇族から排除、１９４７年5月、「日本国憲法：皇室典範（現行）」の施行後、同年10月14日をもって「11宮家51名」を臣籍降下させた。

これで何がわかるかというと、少なくともアメリカ軍は日本人が本当のユダヤと知っており、ユダヤの「レガリア（三種の神器と契約の聖櫃アーク）」を日本軍が使ったら戦況が逆転し、連合軍が滅ぼされたかもしれないと恐れたということである。

その恐怖心から、当時のアメリカ陸軍は「連邦議会」への報告もせず承認も得ず、原子爆弾19発（さらに製造していた）を日本中に落とし、日本人を熱核反応で全て蒸発させる計画だった。

それには大和民族の心の首都とされる「京都（平安京）」を、広島、長崎より先に熱核反応で蒸発させる必要があり、黄色い猿の極東エルサレムを、一刻も早く地図上から消さなければ、世界はアジア同様にカラードの日本人に従いかねない。

それは、西部開拓以来アメリカ人がカラード（有色人種）相手に掲げる啓蒙思想、「マニフェスト・ディスティニー（Manifest Destiny）」によるアメリカの「明白なる使命」「明白なる運命」に反することで、白人であるなら黄色い猿の首領の天皇陛下に従うなど、何があろうと絶対に認めることはできない。

last request

ビル・ゲイツは軽井沢の別荘の高みから全資産を奪われたあわれな日本の姿を見て楽しむつもりだ！

「茹でガエル」は湯が沸騰するまで浸かったままで動かない……日本人の多くは選挙に行けば自民党と創価学会・公明党に投票し、ほとんどの日本人は湯に浸かったまま選挙に行かず、結果として投票率が下がり、地盤を多く持つ自民党と、組織票を持つ公明党が勝つか議席を維持する、その繰り返しで流れていくのである。

その意味から言えば、既にこの国は茹で上がる寸前の手遅れ状態である。実際、文持率最低から「統一地方選挙」で一気に支持率を回復した岸田政権は、アメリカへの「植民地税の支払い（米国債購入）」「金塊の提供」「おもいやり予算支払い」等々、それ以外にも、本来ならアメリカが援助するはずのアフリカ諸国に4兆円、インドに5兆円と9・8兆円、G7に呼ばれて8・8兆円を払っているが、その莫大な金は、本来なら日本人が受け取れるはずの金で、日本人という奴隷が黙々と爪の先に火を灯して政府に治めた年貢である。

一方で経済大国3位の日本は、欧米先進諸国ではあり得ない貧困状態に子供たちが陥り、まともに食事をとれない「欠食児童」が増加する中、「WGIP」による特権で在日の生活だけは様々に保障されている。

「WGIP」でのし上がった高級官僚に支配される霞が関省庁は、「日米合同委員会(Japan-US Joint Committee)」で決まったアメリカ軍の命令を受け、自衛隊の防衛費を毎年4兆円規模に拡大することが決定した。

次は同じ在日支配の自民党が動く番で、「国会」の場で圧倒的多数の自民党の議席数で法案が通り、歳出改革の多くを日本企業の法人税に求めるが、約1兆円を「アベノミクス」と「円安」の日本売りで貧しくなる一方の奴隷が支払うことになる。

このようにさらなる年貢負担をさせられているのだが、茹でガエルの日本人はほとんど何も感じないで在日系自民党に従う……。

奈良県で暗殺された李氏朝鮮の末裔の安倍晋三の死を悼む自民党と、半島系「統一教会」は、今も〝偽装離婚〟の癒着構造にあり、「統一教会」から北朝鮮に日本の資金が流れ、核ミサイルが製造されても茹でガエルは何も感じずに生きている……。

その安倍（李）晋三の『安倍晋三回顧録』（中央公論新社）に記された「国が滅びても、財政規律が保たれていれば満足なんです」が問題視されても、受け取り方が様々あるという理由で分析が棚上げになっている。

これは、李氏朝鮮の日本の王（かつて「私が国家です」という安倍発言があった）が、アメリカとコリアJAPANの「米日併合」を行う際、奴隷である日本国民の財産と、大企業の総資産（海外資産を含む）を全てアメリカに献上するための台帳（ビッグデータ）さえ残されていればOKという意味である。

しばらくの間は、無数の茹でガエルを乗せた日本列島は、カオスという海で自滅への道を確実に漂うが、アメリカの「国防総省（ペンタゴン）」にとっては申し分のない終わり方が目前に迫っている。

全て自己責任で片づけられる1億人近い茹でガエル（ワクチン接種者）は、遅延死ワクチン接種からほぼ3年で死亡するため、2023年夏頃から2024年中に悶絶死する。その遺体は、火葬が間に合わず、家に残されたまま最後にアメリカ軍がナパーム弾で広範囲を焼き尽くし、その後、ブルドーザーで土と一緒に掻きまわされておしまいとなる。

その背後で、ロックフェラーの関連企業が次々と日本に乗り込み、大規模金鉱床開発が始まり、海底でもアメリカの大企業が乗り込んで採掘が行われる。

その様子を、悠々自適のビル・ゲイツが軽井沢に建てた巨大な別荘から見下ろすというのが、「グレートリセット（Great-Reset）」における「ニューワールドオーダー（New World Order）」における日本である……。

last request 

天皇家を在日にすげかえる画策！　全ては天皇家のレガリアを奪うため！

原子爆弾による京都殲滅を最初から最後まで訴え続けたのが、「マンハッタン計画」を推進したレズリー・リチャード・グローヴス陸軍准将（最終的に中将）で、アメリカ軍上層部による日本への恐怖感は、黄色い猿が「三種の神器」と「契約の聖櫃アーク」を持ち出した時の恐怖以外の何物でもなかった。

結果として、昭和天皇の「玉音放送」で日本が敗戦したため、占領後、GHQが「伊豆諸島の利島（ピラミッド）」「羽咋のモーセの墓」「剣山」に進駐軍（アメリカ軍）を送り込み、徹底調査させたのは前述の通り。

アメリカ軍部の日本占領政策が今も続くのは、天皇家から合法的にユダヤの「レガリア」を頂戴するためで、逆らえば武力に打って出る腹積もりだ。

が、国際的な非難を浴びないようにするには、天皇家を在日と入れ替える状況を作る必要があり、そのために李氏朝鮮の血を引く秋篠宮文仁（ふみひと）親王が赤ん坊として皇室に送られたが、明仁（あきひと）陛下の「生前退位（譲位）」で計画が果たせなくなる。

それなら、アメリカ軍部が徳仁（なるひと）陛下を、ハイジャック用マイクロチップを埋め込んだボーイング機で墜落死させ、自民党が緊急法案で通す「女性宮家設立」で、秋篠宮の娘・眞子の復帰と一緒に夫の小室（金）圭を皇族にし、秋篠宮の長男の悠仁（ひさひと）親王が成人になるまでの〝臨時天皇〟にすれば、天皇家が保持するユダヤの「レガリア」をアメリカが頂戴できる。

ロスチャイルドとロックフェラーの企ては人類最後の年号「令和」に突入するや一気に加速、2019年12月末、「新型コロナウイルス（SARS－CoV－2）」が武漢でばら撒かれ、幼児が感染しても平気な無毒の風邪に過ぎなかったが、「CDC／アメリカ疾病予防管理センター」が、病死、老衰、事故死でも全て〝コロナ感染死〟にカウントさせたため、「オオカミ少年効果」が世界中に拡大した。

日本でもイギリス豪華クルーズ船「ダイヤモンド・プリンセス号」の3カ月に及ぶ横浜コロナ大公演が上演され、不安で日本人はパニックに陥った。

アメリカを支配するロックフェラーの手先のビル・ゲイツに従う自民党に多くの日本人は騙され、1度でも接種したら3年で遅延死する「ゲノム遺伝子操作溶液」に殺到、２０２３年4月24日までに1度でも接種した数は、総人口1億２５９１万８７１1の内、９８１6万８９７７人（国民の77・96％）に達し、２０２1年から接種を開始したため、２０２３～２０２４年に悶え苦しみながら悶絶死する。

それなら、アメリカは植民地税を搾取できる日本人奴隷がいなくなり困ることになるという反論には意味がない……ロスチャイルドが「産業革命」以降に発展させた「資本主義」「銀行制度」、さらに「国際資本主義体制」「国際金融銀行システム」が「令和」突入から完全に行き詰まったからだ。

世界の資産のほとんどを富裕層の「リッチスタン（Richistan）」が奪い、グローバル大企業も税金を逃れる「タックス・ヘイブン／tax haven（租税回避地）」に資産を移すため、それまで世界中の銀行を支えた中流層が消滅、アフリカを含む世界の90パーセント以上が貧困となり、「グローバル主義」「新自由主義」「アメリカ型資本主義」が、専制主義国家「中国」の台頭で一気に終焉に近づいた。

さらに「デジタル通貨」の登場で、〝絶対的基軸通貨〟だったドル札による「世界支配体制」も終焉寸前で、「アジア共通通貨圏」「アフリカ共通通貨圏」「南アメリカ共通通貨圏」「ロシア共通通貨圏」に分かれる結果、旧世界を支配した全てのシステムを、国や民族ごと消滅させる暴挙が「グレートリセット（Great Reset）」である!!

この大変革を迎える中、「金塊」による「新・金本位制」の声も多く出始め、ほとんどの海洋プレートが潜り込み、火山噴火、地震が連続する日本列島こそ、無尽蔵の金鉱床の宝庫である。ロスチャイルドとロックフェラーが日本人の奴隷をワクチン接種で皆殺しにして日本列島を強奪するのは当然の成り行きとなる!!

第2部

日本人の全資産と日本国の全資源を狙って
——支配者は殺しながら儲けて奪う！

台湾有事を目前にして、バイデン政権は沖縄を手薄にして、中国の侵攻を誘発する手に出てきた⁉

近代で一度も大きな戦争を体験していない中国が、沖縄の「嘉手納基地」に駐屯するアメリカ軍の「F－15Cイーグル戦闘機」を、ロートルのポンコツであり（台湾有事の際）中国の最新戦闘機「J－20」に歯が立たないと豪語する。

2022年11月4日、アメリカは1979年から沖縄に配備してきた「F－15Cイーグル戦闘機」の代わりに、世界最高のステルス戦闘機とされる「F－22Aラプター戦闘機」をアラスカ州の「エルメンドルフ空軍基地」から沖縄まで移した。

「F－22A」は、「ATF／Advanced Tactical Fighter（先進戦術戦闘機計画）」に基づく第5世代ステルス戦闘機で、ミリタリー推力での超音速巡航（スーパークルーズ）能力を特徴とし、11月8日までに計14機の「F－22A戦闘機」が沖縄に飛来した。

これで「嘉手納基地」に配備されるアメリカ空軍機は、「F－15Cイーグル戦闘機」「F－22Aラプター戦闘機」「HH－60Gペイブ・ホーク救難ヘリコプター」「KC－

135ストラトタンカー空中給油・輸送機」「E－3セントリー早期警戒管制機（AWACS）」「RC－135リベットジョイント偵察機」で、もう一方の「横田基地」には「CV－22オスプレイ」の部隊が駐屯している。

ところが、最新鋭ステルス戦闘機のF－22は、沖縄に〝常駐〟ではなく〝巡回配備（臨時的配備）〟という一段落とした内容になった。

「台湾有事」「尖閣諸島侵略」「日本有事」が確実の現在の状況での不可解なアメリカ軍の行動は、沖縄の抑止力低下を中国に印象付ける。果たして、間違ったサインを中国に送る必要があるのだろうか？

沖縄の「嘉手納基地」は、グアムの「アンダーセン空軍基地」ではなく、ハワイの「ヒッカム空軍基地」に司令部を置く「アメリカ空軍太平洋空軍司令部」の管轄のため、「嘉手納基地」から姿を消す48機のF－15Cの補充は、「太平洋空軍内」でやりくり（巡回）しなければならない。

つまり沖縄は〝ついでの巡回〟となり、当時の浜田靖一防衛大臣へのアメリカ政府の説明では、当面の間は6カ月ごとのローテーション配備でも、いずれ恒久部隊の体制になる見通しと説明されたものの、ここ数年が「台湾有事」最大のレッドゾーンになる時期の巡回配備を、中国は最大のチャンスと受け取るはずである。

２０２２年11月1日、アメリカ議会共和党軍事関係のマルコ・アントニオ・ルビオ上院議員、共和党マイク・ギャラガー下院議員、共和党ビル・ハガティ上院議員（元駐日大使）、共和党マイケル・マッコール下院議員らは、Ｆ－22Ａの巡回配備（臨時的配備）には重大な懸念があるとして、民主党のロイド・オースティン国防長官に共同書簡を送付した。

緊張する南シナ海から東シナ海、さらに尖閣諸島から沖縄諸島における中国軍の脅威に対するＦ－22Ａの恒久配備なしの甘いローテーション配備に懸念を覚えるとし、これでは中国軍のみならず同盟国に悪いシグナルを送るだけとした。

このＦ－22Ａの恒久配備体制について、「アメリカ国防省（ペンタゴン）」がいまだ決定していないのは異常で、故意に台湾と尖閣諸島を餌に、中国に先に手を出させる民主党バイデン政権の底意すら感じる。

「台湾有事」は尖閣から始まる「日本有事」を意味し、中国が「在日米軍基地」以外の都市（福岡が最も危険）目がけて「戦術核ミサイル（多弾頭）」を何発も撃ち込めば、全ての迎撃は不可能なため、何発かは確実に日本へ着弾する!!

日本で起きる熱核反応による蒸発と阿鼻叫喚図が、台湾民衆の戦意を挫（くじ）くに十分となる。

stay alive

嘉手納基地からの米軍撤退は中国の台湾侵攻＋尖閣侵攻＋日本攻撃の3点セットへの撒き餌である！

現在、東西における国際戦略環境を考えると、「ウクライナ侵攻」を開始したロシアが、ウクライナに対し以前から警告していた「戦術核兵器」を使用した場合、アメリカは激しく非難はしても、ウクライナのためにロシアと全面核戦争をすることを「米上下両院」が支持するとは到底思えない。

その際、プーチン大統領から「アメリカこそ日本に圧倒的に勝っていた段階で、人体実験を兼ねた核兵器を2発も落とした国で、ロシアに対しとやかく言える立場ではない」と切り返されるのが落ちである。

ウクライナへの限定核使用で習近平は一つのハードルをクリアすることになる。

中国共産党が喉から手が出るほど手に入れたい台湾ではなく、「第二次世界大戦」の戦犯国である日本に、戦勝国の中国が攻撃してもかまわない特権を使用する時が来たことになるからだ。

「国際連合憲章」条文第53条、第77条、第１０７条の３カ条の「敵国条項」に、今も日本は世界の敵として明記されたままで、戦後、「平和憲法」を持つ日本が何度廃棄を頼んでも、アメリカは頑として首を縦に振らなかった。

特に第53条第１項後段・安保理の許可の例外規定と、第１０７条・連合国の敵国に対する加盟国の行動の例外規定に、「第二次世界大戦中、連合国の敵国だった国（日本）が、戦争により確定した事項に反し、侵略政策を再現する行動等を起こした場合、国際連合加盟国と地域安全保障機構は、国連の安保理の許可が無くても、当該国に対し軍事的制裁を課すことが容認され、その行為は制止出来ない」とある。

この「敵国条項」を使えば、「国連」の常任理事国の中国は、「国連」への事前通告なく日本に対し一方的に攻撃ができ、「尖閣諸島」の周辺で「海上自衛隊」「航空自衛隊」と発砲事件を起こすだけで十分となる。

特に「米軍基地」のない日本の都市部なら多弾頭ミサイルで「戦術核」を落とせば、ロシアと同様、アメリカ議会は日本攻撃への報復で中国と全面核戦争を起こさない確信を得ることになる。

その最有力都市を福岡市とする理由は、中国本土に最も近い１６０万人都市であることと、中国本土を狙える射程２７７５キロ以上のアメリカ軍の「ＬＲＨＷ／Long Range Hypersonic Weapon（長距離極超音速兵器）」が九州に配備されるとされたからだ。

アメリカ軍は中国との戦争に、東シナ海（尖閣諸島）、台湾、南シナ海（南沙諸島、西沙諸島）に点在する中国の航空基地攻撃を想定し、その最大の理由に「台湾有事」を想定している。

今や支持率20パーセント台でも岸田内閣が平気なのは、有権者が与えた圧倒的議席数があるからで、もはや自民党だけで日本をどうにでもできる。

李氏朝鮮の末裔だった安倍（李）晋三政権が、戦後の「安全保障政策」を破壊し、「憲法改正」だけは暗殺で叶わなかったが、歴代政権が「違憲」とした「集団的自衛権」を強行採決で〝合憲〟と押し切り、アメリカの戦争に参戦することが可能となった。

さらに、岸田政権下で「敵基地攻撃能力保有」に舵を切ったことで「自衛隊の軍隊化」が完成することで、中国に〝敵国条項違反〟で日本への攻撃が可能となった。

その中国に対し、アメリカは日本の「敵国条項」を外せばいいわけだが、それをやらないのは、日本を中国を釣る生き餌にするためである。

前述の、九州に配備する中距離ミサイル「ＬＲＨＷ」について、九州中の住民説明会をいくら開いても猛烈な反対運動が起きるのは火を見るより明らかなため、アメリカとの協議で既に福岡と決まったということだ。

なぜなら、そこに自民党副総理の麻生太郎の選挙区があるからで、福岡は〝麻生王国〟でもあり、「安倍国葬」と同じ麻生太郎の鶴の一声で、福岡の全住民を捻じ伏せることが可能とされる。

逆説的に言えば、アメリカ軍の軍事施設がある福岡は中国の攻撃対象外になるわけだが、それには一つ大きな落とし穴があり、軍事基地化する前に、中国が福岡市を〝戦術核攻撃〟すればいい理屈になる。

そんな矢先、やはりというか沖縄の「嘉手納基地」から在日米軍の撤退が決定した……。

体のいいアメリカのトンズラだが、中国の台湾侵攻＋尖閣侵攻＋日本攻撃の３点セットを可能とする撒き餌が、アメリカ軍の段階的撤退によって出揃うことになる。

stay alive ③

米軍は沖縄はおろか日本本土からも撤退する「アウトレンジ作戦」を決行中！　日本を中国への撒き餌にする!!

既に２０２０年末の段階で、沖縄の在日米軍（海兵隊）が沖縄から完全撤退することが決定され、今回の「嘉手納基地」からの「Ｆ－15Ｃイーグル戦闘機」の段階的撤退はその一環とされる。

それは「辺野古移転問題」とは違う流れで、地政学的に沖縄は極東から東アジア全域に対するコンパスの針のような位置にあり、攻撃部隊の「海兵隊」にすれば、北朝鮮、中国に睨みを利かせ、台湾、フィリピンのアメリカ人を救出するにも便利だった。

ところが、中国が欧米から軍事機密を大量に入手し、瞬く間に軍備拡大した結果、沖縄に部隊を置いておけばどうなるかは、ウクライナから発射された自爆ドローンが、ロシアの空軍基地を爆撃する様子からもわかる通り、沖縄のアメリカ軍基地は、沖縄近海から発射される中国潜水艦の「ＳＬＢＭ／Submarine-launched ballistic missile（潜水艦発射弾道ミサイル）」一つで、数分後に地上から消滅することになる。

議会中心のアメリカは何かと理由をつけ、１９７３年にはさんざん踏み荒らした南ベトナムから撤退、２０１１年にはイラクからも撤退、２０２１年にはアフガンからも撤退した。

アメリカという国は利用できるうちはさんざん利用するが、いったん都合が悪くなると若い兵士の命を守る目的で撤退することを繰り返す国で、その点、ロシアはたとえ占領しても、その後の経済援助もすれば、併合した場合はロシア国内と同じ権利を与えて見捨てることをしない。

そのどちらがいいかは個人の見解の相違だが、アメリカでは極東のエンドウ豆のような小さな日本のために、中国と全面核戦争を起こす気など毛頭ないことだけは確かである。

アフガニスタンで実戦を経験した（元）アメリカ陸軍情報将校〈匿名〉のリークでは、アメリカ軍の「沖縄撤退」は前から決定済で、中国の発展次第で沖縄どころか日本本土からも撤退することが決まっており、「アウトレンジ作戦」という名称まで決まっているという。

建て前は、財政赤字改善のための「軍事費の削減」だが、本音は中国の先制核攻撃圏外に下がることで、アメリカ軍の直接被害を避けることが目的だ。

そのため、東京の「アメリカ大使館（極東ＣＩＡ本部）」は、「統一教会」と在日系「清和会」が支配する自民党と協力、日本人への税金を上乗せする軍事予算増額を圧倒的議席数で押し切り、李氏朝鮮の末裔の安倍第二次内閣に「集団的自衛権」を強行採決させたとすれば、全てに辻褄が合ってくる。

そう思うと、今の「辺野古問題」は、アメリカ軍が沖縄に居座ると思わせる日本内外へのカモフラージュで、かつ、アメリカ軍の沖縄全面撤退の理由にもできる。

それよりも、「辺野古基地」は自民党がアメリカのために目指す「国防軍（旧・自衛隊）」のための基地という仕掛けまでが見えてくる。

実際、アメリカの国防費は、２００１年度の１０６２億ドルから、２０１０年度の６９０９億ドル、２０１９年度の６９３０億ドルと右肩上がりで、これには「ブラックバジェット／black budget（闇予算）」は１セントも含まれていない。

数年前のデータだが、ロシアと中国を含む外国の国防費の総計でさえ４５００億ドルなので、アメリカの軍備費の異常さは突出している。

そこで「アウトレンジ作戦」だが、沖縄は中国にあまりにも近く、「先制攻撃圏内」のため、中国の核第一撃「ファーストストライク（first strike）」から逃れられない。

そのため戦力を四方に分散することでリスクを減らそうとしている。

既にアメリカ軍は、「アウトレンジ作戦」に基づく再編を実行中だ。沖縄に駐留する海兵隊の一部を、グアムとオーストラリアへ移転中で、「F－15Cイーグル」をロートルとして２０２４年には全面廃棄する。

その間に「F－22Aラプター戦闘機」が夜回り程度に顔を出し、「岩国基地」（山口県）から穴を一時的に埋めるように「F－35Bステルス戦闘機」と「FA－18戦闘攻撃機」の３機を送りながらなんとか誤魔化し、２０２３年に沖縄に残るのは「司令部機能」と、最小単位の遠征部隊「第31海兵遠征隊（31MEU）」だけとなる。

後は、沖縄諸島に離島対応の小規模海兵隊「MLR」を配備することが決まった。

日本人に知られないよう、既に「普天間基地」の空中給油機「KC－１３０」も「岩国基地」へ移転、もはやアメリカは中国と闘う意思を放棄したかに思える。

結果、それでさらに中国が押し出してきたら、日本本土からもアメリカ軍は撤退し、日本を中国に向けた撒き餌の役目にする。

中国が福岡を「戦術核」の先制攻撃で焦土と化したら、ついにアメリカは正義の騎兵隊となって中国が支配する南沙諸島から中国を一掃することになる……。

「アウトレンジ作戦」の実態は、習近平の台湾制覇のため、アメリカ軍が撤退した後の福岡市を中国に核攻撃させる陽動作戦であり、「アメリカ大使館（極東CIA本部」）」に在日支配の自民党が協力している。

stay alive 
福岡が危ない！　中国の核攻撃を招き寄せるため、米軍はあらゆる画策を行っている!!

軍事の世界に「パワーバランス（power balance）」という言葉があるが、その意味は「力の均衡」で、最も知られるのが「冷戦時代」の米ソの「核抑止（かくよくし）」であり、互いの核兵器保有が先制使用を躊躇する状況を作った。

この「パワーバランス」が崩れた最も危険な状況が、経済崩壊寸前の旧ソ連による「ファーストストライク（first strike）」で、ゴルバチョフ大統領とレーガン大統領が協力してソフトランディングすることができた。

これで何がわかるかというと、米中の軍事パワーが南沙諸島から極東にかけて均衡している間はいいが、アメリカが一方的に力を抜き始めると、その引きで米中間の均衡が崩れ、結果として中国軍がアメリカに引っ張られるように台湾侵攻と日本攻撃を開始する事態になることだ!!

その一つが、「嘉手納基地」から48機の「F－15Cイーグル戦闘機」を2024年までに段階的に撤退させ、代わりの「F－22Aラプター戦闘機」も巡回配備でしかない真空地帯を作り出すことだ。

当該地域のアメリカ空軍力の低下は、メッセージ上も全く不十分な対応で、今の不安定な状況をさらに不安定化させ、中国に向けて危険なシグナルを与えている。

関係がないようで実はあるのが、NATOのコードネームで「フェロン（重罪人）」の異名を持つロシアの最新鋭戦闘機「スホイ57（Su－57）」である。

マッハ2以上の最高速度を持つ第5世代超音速ステルス戦闘機だが、「ウクライナ侵攻」のために配備されても、飛行ミッションはロシア国内に限定されている。

その理由は何か。アメリカの軍事アナリスト、ハリー・J・カジアニスは、防衛関連情報サイトの「19FortyFive」で、「ロシアの第5世代戦闘機Su－57が、仮にウクライナ上空で撃ち落とされでもしたら、ロシア軍およびロシア空軍の能力が国内外で疑問視される事態に陥るからだ」と評した。

要は「Su－57戦闘機」をウクライナに送り込むのは絶対にあってはならないと述べており、事実、ロシア側からは、「Su－57戦闘機」が長距離ミサイルをウクライナに発射するだけで済む問題で、わざわざ高価なステルス戦闘機を、ウクライナ上空に飛ばして、見せる必要はない!!

それと、２０２２年に世界中で大ヒットを飛ばした『トップガン　マーヴェリック』だが、実はこの映画は、軍事専門家から言わせると、近代戦を全く表していないオワコンとされている。

一体どういうことかというと、第5世代戦闘機は映画のようなドッグファイトを演じる前に勝負がついているということだ。

第5世代戦闘機がなぜステルスかというと、敵のレーダー外（あるいはレーダー境界）から地対空、地対地、巡航ミサイル等を発射すれば勝負がつき、戦闘機同士が交差するような超接近戦は想定されていないからだ。

ステルスはあくまでもレーダーに対してで、地上から目視されたら撃ち落とされる危険性が高く、だからカジアニスが評するように「ウクライナ領内を飛ぶのはありえない」となる。

それを勘違いした日本の軍事評論家などは、「ロシア政府は怖くてステルス機能を持つこの最新鋭ジェット戦闘機をウクライナ領内に飛ばせないようだ」という間抜けなコメントを出すことになる。

同じことは「F－22Aラプター戦闘機」にも言える。既にその弱点は２０２２年12

月13日、シリア上空でロシアの戦闘機「スホイ25（Ｓｕ－25）」と「スホイ35（Ｓｕ－35）」の前で露呈した。

実は現在の国際法の「交戦規定」では、ステルス機としての「Ｆ－22Ａ」の絶対的優位性はほとんど意味をなさない!!

なぜなら、「インターセプト／intercept（要撃機・邀撃機）」は、領空侵犯の戦闘機の横に接近し、無線で「引き返せ、さもなければ攻撃する」と伝える規則があるからで、こういう役目はステルス戦闘機の「Ｆ－22Ａ」ではなく本来は「Ｆ－15Ｃ」の役目で、それを沖縄から全面撤退させるのだから尋常ではない。

その役目を全て空自の「Ｆ－15Ｊ」だけに任せるのは、準最前線領域からアメリカ軍が撤退する気でいるとしか思えず、さらにそこに配備する「Ｆ－22Ａ」でさえ常駐ではなく、ついでに立ち寄る程度の「巡回配備」では、日本を撒き餌に中国軍を招き寄せ、台湾侵攻と同時に福岡への核攻撃を誘っているとしか思えない。

stay alive

日本が中国の攻撃で焦土と化したあと、アメリカは正義をふりかざして、中国を叩きに行く!!　そのシナリオはできている！

２０２３年度中を目途に、沖縄の「嘉手納基地」から、在日アメリカ軍の「F-15Cイーグル戦闘機」48機が段階的に撤退、代わりに「F-22Aラプター戦闘機」が立ち寄る程度の「巡回配備」になったのは、「嘉手納基地」があまりに中国に近いためだ。

近距離からの潜水艦の「SLBM/Submarine-Launched Ballistic Missile（潜水艦発射弾道ミサイル）」や、中国本土からの「中距離核ミサイル」から逃げられないからである。

当然、「F-22Aラプター」も「嘉手納基地」に常駐にしないのはそのためだ。

ところが、アメリカの軍事専門家にとって「F-22Aラプター」は超問題児の完全な失敗作とされている。

「F-22Aラプター」は、アメリカのロッキード・マーティン社、ボーイング社、ジエネラル・ダイナミクス社が共同開発した〝第5世代多用途戦闘機〟で、敵の航空機を撃墜し、敵の空爆から部隊や後方施設を防御し、敵の航空偵察に昼夜を問わずどんな気象条件でも対応するスーパー・ウェポンだったはずである。

２０２２年９月４日、アメリカの軍事専門サイト「ミリタリー・ウォッチ（Military Watch）」に対し、アメリカ空軍は「Ｆ－22ラプター」には重大な問題があると認めた。

その中で最も深刻な問題は、「アビオニクス／Avionics（航空電子機器）」に関連する「Ｆ－22ラプター」のコンピューターシステムが、もはや時代遅れになったことだ。「Ｆ－22ラプター」が初飛行したのは１９９７年９月７日で、当時のアメリカ空軍の「ＡＴＦ／Advanced Tactical Fighter（先進戦術戦闘機計画）」ではＴＯＰだったが、製造費が桁違いだったことから、運用開始までに時代遅れになってしまった。

それを物語るように、アメリカ空軍は「Ｆ－22ラプター」の一部を早期退役させる要求を出し（後に否決）、現在、「Ｆ－22ラプター」を１８６機保有するが、その内の33機が〝ブロック20〟と呼ぶ初期モデルで、訓練飛行でしか使えないレベルとされる。「赤外線捜索追尾システム」の欠損が機体の戦闘能力を損ない、パイロットの胸郭を圧迫する「高高度補正スーツ」がパイロットに〝ラプター咳〟を発生させ、さらに「Ｆ－22ラプター」の難易度の高い整備要件が低稼働率へと繋がり、トランプ（前）

大統領は廃棄してしまえと言ったとされる。

使える機体の「F－22ラプター」にも多くの欠点があり、瞬時に他の航空機との情報交換できないため、同じ第5世代の「F－35ライトニングⅡ」の方が圧倒的に優れている。

「F－35ライトニング」は、「JSF／Joint Strike Fighter（統合打撃戦闘機計画）」に基づいて開発された第5世代ステルスジェット戦闘機で、2006年の初飛行から多用途戦闘機として開発された。「A型：多用途戦闘機」「B型：多用途戦闘機・垂直（短距離離着陸機）」「C型：多用途戦闘機・艦上戦闘機」のタイプが存在する。

さらに「ヘルメットディスプレイ」による全周囲視界まで実現、「電子装備」の充実度とアップグレード能力は「F－22ラプター」を遥かに超える。

問題は、中国が「F－22ラプター」の設計図から全機能をスパイを通して手に入れたことである。瞬く間に造った中国の第5世代「J－20ステルス戦闘機」は、「F－35ライトニング」を性能で上回ったとされている。

中国は空軍力だけでなく、海軍力でもアメリカを凌駕し、南シナ海、台湾海峡、東シナ海に派遣できる艦船は、アメリカの艦船1隻に対して10隻で、日本全体を狙える数千発の「長距離ミサイル」からなる「ロケット軍」は、洋上の空母と在日米軍基地の全て狙うことができる。

そもそも「台湾有事」が起きた場合、アメリカの「空母打撃群」は絶対に間に合うはずがなく、一方の中国から台湾までの距離はわずか130キロである。

つまりアメリカは、第一次攻撃となる「台湾有事」の際、「尖閣諸島」を守る名目で、日本に全責任を押し付け、アメリカ軍は後方援助に回る気で、最悪の場合は若いアメリカ兵を守るために日本からトンズラする可能性すらある。

その結果、日本が焦土と化しても、「遺伝子操作ゲノム溶液」接種を含む大和民族皆殺しを画策するロックフェラーとロスチャイルドにはその方がかえって都合よく、中国の攻撃による悲惨な日本の状況を見た正義の国アメリカが、中国を叩き潰すために雄々しく立ち上がるシナリオが既にできているようだ。

stay alive

日本人は自民党に殺される！　台湾有事シミュレーションでは中国軍が自衛隊と米軍を凌駕する‼

中国は欧米の軍事企業から盗み取った高度な技術で瞬く間に最先端の軍事大国にの

し上がり、世界第2位の経済大国の勢いを駆り、２０２２年9月段階で、中国国防予算は30年間で39倍、日本の6倍以上の予算でアメリカに迫る勢いで伸びている。

特に１９９８〜２０２２年の伸び率は、中国の10・7倍に対しアメリカが２・9倍、日本は１・8倍にとどまり、習近平の大号令で、21世紀半ばまでに世界一の軍隊を築く目標に邁進している。

アメリカのワシントンD．C．に本部を置く「ＣＳＩＳ／Center for Strategic and International Studies（戦略国際問題研究所）」が２０２３年1月9日に発表した「台湾有事シミュレーション」によると、自衛隊とアメリカ軍の惨憺（さんたん）たる結果が予測されている。

計24回のシミュレーションで判明したのは、台湾が失う艦船は26隻、死者は３５００人（一般人含まず）で、それでも中国軍の早期制圧を台湾軍は跳ね返すと出た。

それに対するアメリカは、空母2隻が大量のミサイルで沈没、イージス艦を含む主要艦船も7〜20隻が撃沈、戦闘機２７０機が撃墜される惨憺たる状況がシミュレートされた。

同じく自衛隊も壊滅状態で、強襲揚陸艦兼軽空母、イージス艦を含む主要艦船26隻が撃沈、戦闘機１１２機も撃墜されると出た。

一方の中国は、「遼寧」「山東」など空母を含む主要艦船138隻が沈没するが、戦闘機155機が撃墜されるだけで、アメリカに勝る最新鋭戦闘機の性能がアメリカを凌駕すると出た。

当然、この結果は「アメリカ上下両院」の判断データとなるため、仮に中国軍が「台湾侵攻」に打って出たら、アメリカ軍が中国と戦うために空母打撃群を出動させず、代わりに日本の自衛隊に肩代わりさせる案が出てきそうだ。

中国本土や潜水艦から在日アメリカ軍基地が戦術核攻撃されるくらいなら、早い段階でアメリカ軍をハワイ、グアム、オーストラリアに撤退させる方が得策で、アメリカは中国の台湾侵攻後の反撃の方にシフトする可能性が見えてきた。

習近平は2030年にプルトニウム型核弾頭1000発、2035年までに1500発の保持を目指し、その時にアメリカの戦略核1600発にほぼ並ぶことになる。

そのためか、長年アメリカは日本に対し、「自国は自国で守るのが基本」と言いつづけている。

実は「安保第5条」には秘密があり、ここに日米共通の危険に対処するとあるが、「自国の憲法上の規定及び手続に従つて」とある以上「アメリカ連邦議会」での承認がなければ「日米新安保条約」は発動されない仕掛けが隠され、さらに在日米軍のほとんどは「アメリカ軍」ではなく「海兵隊」の侵攻部隊で防衛部隊ではない。

なのに「統一教会」と連立して国民から圧倒的議席数を得た在日支配の自民党は、いかにもアメリカが日本を守っているとして日本人を洗脳、毎年、日本人の税金から年平均２１１０億円＋１００億円を日本を守らないアメリカに支払いつづけてきた。

それは自民党がそう錯覚させていたからで、「思いやり予算」など渡す必要などどこにもなく全く意味がなかったことになる。

自民党のさらなる嘘は、「海兵隊」はアメリカ議会の承認が不要な大統領直轄部隊で、これをアメリカは尖閣や台湾防衛に送りたくない。そのため２０２３年度中にアメリカ本土とハワイに海兵隊５０００人と家族が移動、グアムに海兵隊４０００人と家族が移動、踏み倒しの上のトンズラで、それでも在日自民党は盗人に追い銭とばかり、日本人の税金からトンズラ費の28億ドルまで負担する約束を交わした。

「清和会」など在日支配の自民党と、北朝鮮系創価学会・公明党にすれば、プランテーションの農奴同然の日本人の金を自由にできるため、在日シンジケートは痛くもかゆくもない。

馬鹿なのは、何が何でも国政選挙で自民党を選びつづける有権者の方で、ヒトがいいということは間抜けということで、もうすぐ嫌というほどその報いを身をもって受けることになる。

stay alive

日本での18歳徴兵制、国防軍の創設、軍事予算アップの動きは、在日シンジケートの君臨をさらに強化するためのもの！

アメリカは、沖縄の「嘉手納基地」からの「F－15Cイーグル戦闘機」と海兵隊の撤退について、反自民の玉城デニー沖縄県知事と、「オール沖縄」による宜野湾市の「普天間飛行場」から名護市の「辺野古飛行場」移設反対運動に責任の一部を転嫁しようとしている。

２０２２年9月の「沖縄県知事選」で、自民党から圧倒的支持を受けるサキマ淳候補を相手に、共産、社民、立憲民主の革新政党と労組の「オール沖縄」の支援を受ける玉城デニー知事が勝利し、2期目の任期がスタートしたからだ。

「オール沖縄」は翁長雄志知事から続く「海兵隊撤退運動」「辺野古飛行場移設反対運動」を掲げ、自民党県連と激しく対立してきたが、その間も自民党政府による辺野古の埋め立て工事が強行され、自民党県連から玉城デニー知事が「公約違反」と揶揄される中、玉城デニー知事は、昔から連綿と続いてきた沖縄における「在日アメリカ軍」と「自民党」の暴挙を「国連」に訴える方針を明らかにした。

戦後も沖縄が虐(しいた)げられている現状を打開するには、ウクライナのゼレンスキー大統領のように、国際社会へのアピールが重要と判断したからで、「先住民勧告」を出すことが確実になった。

国連の人権を扱う機関「HRC／Human Rights Council（人権理事会）」が沖縄県民を先住民族（琉球民族）として認めた上、沖縄でのアメリカと自民党政府による一方的暴挙を禁止する勧告が出されたら、自民党の沖縄政策に大きな支障をきたすことは間違いない。

そのため、自民党県連が激しく反発、本部(もとぶ)町議会議員の崎浜秀昭らが「沖縄の人々を先住民族とする国連勧告の撤回を実現させる沖縄地方議員連盟」を立ち上げ、「沖縄の人々は昔から日本人であり、琉球民族が沖縄諸島のネイティヴと論議がされたことは過去一度もない」とぶち上げた。

２００７年の「国連」での「先住民族の権利に関する国際連合宣言」により、世界的に先住民族への配慮を求める要請が高まり、２００８年、日本でも「衆参両院本会議」でアイヌを日本の先住民族とすると決議され、２０１９年にはアイヌの誇りが尊重される社会実現施策推進に関する法律が制定されている。

理屈的には、「琉球民族」をアイヌと同じネイティヴとする討論も国会で成されていないが、宗教的に極めて似ている点や文化も近く、アイヌと遺伝子距離が近い研究もあり、むしろ在日米軍基地への配慮重視で自民党が故意に琉球民族をネイティヴにしなかったことは容易に想像がつく。

玉城知事は「これ（今の沖縄の状況）は司法の限界であり、新基地建設を止める手段は国際社会にアピールするしかない!!」と述べ、実際、翁長知事は2015年9月、「国連人権理事会」で「沖縄の人々の人権や自己決定権がないがしろにされている!!」と演説、沖縄県民への基地負担の継続と、辺野古移設は「人権侵害」に該当すると訴えていた。

玉城知事は、自民党政府の「南西諸島防衛体制強化」にも警戒を示し、南西諸島の住民を守る名目で「避難シェルター」を建設することにも懐疑的で、むしろアメリカ軍のための戦略に沖縄が再び自民党を介して利用されると考えているようだ。

先の「太平洋戦争」でも沖縄諸島は日本本土を守るための防衛線にされ、沖縄に多くの日本兵が配備され、日本軍と一緒に壕へ避難したら、壕の日本兵に逆らえなくなり、アメリカ軍からの投降を促す呼びかけに従おうとする者に銃を向けたり（実際射殺もされている）されたため、今回も自衛隊と一緒のシェルターを嫌悪する人も多い。

自民党保守を掲げる議員グループは、なんとかして「国連」に行かせないよう、「知事が（国連への）行動を取る前に、県民および県外のウチナーンチュ（沖縄にルーツがある人々）に対して、しっかり説明と賛同を取らないといけない」と気勢を上げた。

さらに、玉城知事に対し、「沖縄県議会で議論されることなく、議会の意向を完全に無視して国連から一方的に沖縄の人々を先住民族とする勧告が出されることは、議会制民主主義を崩壊させる大きな問題」と、（自民党有利の）民主主義への挑戦と非難した。

駄目押し的に、「自らを先住民族とする一部のウチナーンチュと国連だけで沖縄の未来を決めようとしていることを認めることはできない」と、沖縄史、日本史、民族学、遺伝学を完全無視する圧力をかけている。

そんな自民党保守の動きの背後では、アメリカが海兵隊のオーストラリアへのローテーション配備を進め、中国や北朝鮮のミサイルを警戒するアメリカ軍の兵力分散化を進めていた……。

これは、在日自民党が「防衛庁」を「防衛省」に繰り上げて予算を大幅にアップし、日本人の18歳兵役を可能とする18歳選挙権を法案化させ、次に「自衛隊」を「国防軍」に変名する動きと完全に一致している。

要は、在日が「清和会」を介し圧倒支配する自民党が「国防軍」を完全に支配下に置き、米軍撤退と同時に「国防軍」が沖縄を支配、膨張する中国を出汁に、大増税で軍備増強を図り、在日シンジケートが強力な軍事力で日本人の上に君臨する意図が見えてきた。

stay alive

習近平中国は自国経済が大崩壊寸前、だから今すぐの台湾侵攻と日本への核攻撃がどうしても必要！

習近平の「台湾統一」の意志は固く、それが現実になれば日本という国の存在が非常に危うくなる。

なぜなら、台湾統一と尖閣諸島侵攻は一対で、「第一列島線」の両端を制さなければ、中国は艦隊の太平洋進出が危うくなるからだ。

「第一列島線」は中国が対アメリカへの勢力圏を確保するため、海洋上に設定した第一段階の〝軍事的防衛ライン〟で、旧日本帝国が引いた「絶対国防圏」と同様の意味を持つ。

この「第一列島線」は九州から沖縄、台湾への「東シナ海」と、フィリピンから南の「南シナ海」に至る防衛ラインで、中国は南シナ海を「九段線（赤い舌）」と呼び、一方的に中国の領海と主張している。

もし台湾に中国人民解放軍が侵攻したら、日本の最西端に位置する「与那国島（よなぐにじま）」は、「第一列島線」に入るためすぐに中国軍が侵攻、さらに「尖閣諸島」「先島諸島」「沖縄諸島」「奄美群島」「吐噶喇（とから）列島」「大隅諸島」を落としていくことになる。

その先は九州で、福岡に多弾頭ミサイルが撃ち込まれる可能性が極めて高い!!

それは「台湾侵攻」とほぼ同時で、日本政府を大混乱に陥らせることで、圧倒的な中国軍と戦う日本の意志を先制核攻撃で叩き潰すためだ。

中国の尖閣諸島侵攻に立ち向かった「海上保安庁」「海上自衛隊」の艦船が、先の大戦の戦勝国の中国に対し、たとえ1発でも弾を撃てば、先述した国連の「敵国条項」にふれ、常任理事会にかける必要なく日本を核攻撃できる。

そもそも「盧溝橋（ろこうきょう）事件」（1937年）のように相手が先に撃ったと言えばよく、さらに中国は「尖閣諸島」を中国領と断言している以上、日本の艦船が中国領に侵攻したと言い張ることもできる。

習近平には「台湾侵攻」を２０２３〜２０２４年にかけて決行しなければならない事情があり、そうしなければ「不動産バブル」が崩壊するからで、中国人民のほとんどが不動産株に投資しているため、バブルが弾けたらただでは済まなくなる。

それに続く「中国経済大崩壊」は、「粉飾決算」で誤魔化してきた中国共産党一党支配の終わりを意味し、習近平は14億１１７５万の人民の凄まじい反発を買い、その炎が中国全土で拡大することになる。

それまでに「第一列島線」を確保せねばならず、それすらおぼつかないなら、東京から小笠原諸島、さらにサイパン、パプアニューギニアへと続く「第二列島線」の確保は不可能となる。

ところが、２０２２年の中国の「実質ＧＤＰ（成長率）」の目標値は５・５パーセントだったが、「世界銀行（World Bank）」の見通しは２・７パーセントに過ぎず、16〜24歳の失業率は17パーセントにも達し、今まで共産主義の粉飾決算で誤魔化してきた中国経済は墜落直前にある。

さらなる問題は、習近平の「新型コロナ症候群」で、中国全土の都市をわずかな感染者が出ただけで次々と「ロックダウン（都市封鎖）」したため、上海でかつてない規模の反発運動が起き、それが中国全土に波及したら、暴徒化した人民が何をするかわからない事態となった。

結果、習近平があれほど強行した「ゼロコロナ政策」を簡単に中止、「ウイズコロナ政策」に大きく舵を切ったのは、14億1175万人の中国人民の大規模反乱を恐れたからだ。

それは同時に、中国経済が大崩壊する2023年（遅くても2024年）までに、「台湾侵攻」と「日本への先制核攻撃」を実行しなければ、習近平自身の運が尽きることになる。

そんな時、「ウクライナ侵攻」のロシア軍が、ウクライナの戦況によっては「戦術核兵器」を使用することになるだろう。

その場合NATOとアメリカは、ロシアとの全面核戦争をさけるため、ロシアに向けて「戦術核兵器」で対抗することができず、結果としてウクライナを見放すことになる。

それを確信できれば、習近平は、上陸部隊を送り込む台湾より、在日米軍撤退後の日本に戦術核兵器を撃ち込み、それを見た台湾は、九州（おそらく福岡市）の阿鼻叫喚図を見て怖れ慄（おのの）き、習近平に降伏することになる。

ビル・ゲイツ製コロナウイルスが、習近平に中国経済の急ブレーキをかけさせ、それが中国バブル崩壊と中国経済崩壊に繋がったとしたら、ロスチャイルドとロックフェラーの「パワーブローカー（Power Broker）」の持つ悪魔性は本物ということになる。

……というか、彼らが拝する本物の「バアル（ルシフェル）」が導いている可能性がある!!

stay alive ⑨
ウクライナ侵攻はプーチンVSロスチャイルド、ロックフェラー（パワーブローカー）との対立構造がその真相である！

日本では「マンハッタン計画」が知れ渡ったせいか、実用規模の「原子爆弾」の開発に最も早くから取り組んだのがイギリスだった事実を知らない。

さらにイギリスのチャーチル首相が、当時、「原子爆弾」にあまり乗り気でなかったルーズベルト大統領に、イギリスの核物理学の科学者たちを送り込む約束でアメリカの尻を叩いたことが知られている。

当時、「アメリカ議会」でも公にされていなかった「原子爆弾」は、広島に「リトルボーイ」が落とされて初めてアメリカの議員たちが知った有様で、当時のアメリカ軍部もトルーマン大統領を、広島には兵士しかいないと騙し、投下へのサインをさせたこともわかっている。

さらに、チャーチル首相とルーズベルト大統領だけで〝密約〟を結び、「原子爆弾」をイギリスとアメリカだけで独占、その軍事力で世界を支配する陰謀を企てていた証拠も出てきた。

ところが、「原子爆弾」を独占するアメリカとイギリスによる「世界支配体制」を恐れたジョン・ロバート・オッペンハイマーは、旧ソ連への情報漏洩を企てたとされ、結局、裁判では証拠不十分で国家反逆罪にならなかったが、アメリカの中枢から追放された。

旧ソ連への情報漏洩に実際手を染めたのが、ローゼンバーグ夫妻とされるが、結果として旧ソ連は原子爆弾、さらに世界初の水爆にも成功し、アメリカとイギリスの「世界支配体制」を防いだことになる。

だが、結局、同じ構造が今のウクライナで起きており、アメリカとイギリスが対ロシアに慎重なEUの尻を蹴飛ばし、完全にウクライナ側に巻き込もうと、あの手この手で圧力をかけつづけている。

２０２２年2月24日の「ウクライナ侵攻」に至る背景に目を向けると、まずイギリスのロスチャイルドと、アメリカのロックフェラーが、アシュケナジー系ユダヤのゼレンスキー大統領に接近、「アメリカ国防総省（ペンタゴン）」の闇予算でウクライナ各地に「生物兵器」「細菌兵器」「遺伝子組み換えバイオ兵器」の開発研究所を設置、その仲介を当時のバイデン副大統領が担っていた。

さらに、ゼレンスキー政権の財務にロスチャイルドが加わったことで、ロシアのプーチン大統領の堪忍袋の緒が切れた。

いつロスチャイルドとロックフェラーに封鎖されるかわからない借款軍港だった「セヴァストポリ海軍基地」を確保するため、２０１４年2月20日にクリミア半島に侵攻、「クリミア共和国」樹立した翌日ロシアに併合した。

この様子に危機感を持ったロスチャイルドは、イギリスとアメリカ政府を中心に西側諸国を巻き込み「ロシア制裁」を発動したが、ロスチャイルドのやり方に精通するプーチン大統領に通用しなかった。

「世界金融システム」「国際為替システム」「基軸通貨システム」を握るロスチャイルドとロックフェラーによる「パワーブローカー（Power Broker）」が、「新世界秩序（New World Order）」を樹立する予定だったのが２０２２年7月17日だった。

その日は、世界最大の火薬庫のエルサレムに「第三神殿」が建設される光景を世界中が見る日だったが、その前の2月24日を狙い、プーチン大統領がウクライナに侵攻した。そのため、「統一教会」と一体の安倍（李）晋三の「清和会」の協力のもと、ユダヤの神殿に不可欠な「レガリア（三種の神器と契約の聖櫃アーク）」を保持する天皇陛下を暗殺するはずが、不首尾に終わることになる。

それに怒ったロスチャイルドは、ロシアの顔色を見るＥＵに先んじ、当時のイギリス首相ボリス・ジョンソンに命じ、２０２２年4月9日、キーウでゼレンスキーと会談させ、真っ先に武器援助を約束した。結果的にＥＵ各国もイギリスに引っ張られる形で武器援助を開始する。

一方、ロックフェラーはバイデン大統領に命じ、冬将軍を恐れてロシア制裁に足並みが揃わないＥＵ（特にドイツ）に対し、ロシアからの天然ガスを送る海底パイプライン「ノルドストリーム1」「ノルドストリーム2」を50メートルにわたってフィンランドとアメリカの特殊部隊に破壊させた。

つまり「ウクライナ侵攻」で本格化した「ロシアVS西側諸国」の構図は、「プーチン大統領VSロスチャイルド＋ロックフェラー（Power Broker）」が真相となる!!

stay alive

プーチンは結果的に日本を守っている⁉　ロシアと中国にどうしても戦術核兵器を使わせたいバイデン政権の思惑

２０２３年1～3月に予想されたロシアの「ウクライナ再侵攻」に備える名目で、ロスチャイルドはイギリスの新首相リシ・スナクに命じ、２０２３年1月14日、今まで禁じ手だった主力戦車「チャレンジャー２」を提供すると発表させた。

何でも欲しがるゼレンスキーに戦車を提供したら最後、次は戦闘機を欲しがり、長距離ミサイルを欲しがり、核を欲しがりときりが無くなる事態を恐れるＥＵ各国に対し、アメリカは再び尻を蹴飛ばすため、２０２３年1月20日、ドイツ西部の「ラムシュタイン米空軍基地」で「ウクライナ支援国会議」をドイツ政府に開かせた。

バイデン大統領は、「ＮＳＣ／National Security Council（国家安全保障会議）」のジョン・カービー戦略広報調整官に命じ、ショルツ政権に圧力をかけるため、会議の前から「ドイツ政府がウクライナへのレオパルト2供与を一方的に妨げている」との見方を示し、ドイツのボリス・ピストリウス国防相は会議の場でそれを否定する立場に追い込まれている。

ロックフェラーの犬であるバイデン大統領は、ＥＵの中でも集中的にドイツに圧力をかけ、ドイツが主力戦車「レオパルト2」をウクライナに送れば、フランスもイタリアも引きずられて「主力戦車」をウクライナに送ることになり、一気にプーチン大統領が「戦術核兵器」の使用に踏み切らざるを得なくさせる策略でいる。

ドイツの首相オラフ・ショルツは、左派の「ドイツ社会民主党」に所属し、若い頃は「侵略的な帝国主義のＮＡＴＯ」と発言、西ドイツは「ヨーロッパの大企業の拠点」と批判していた人物だった。

連立政権の首相だけに今の発言は慎重だが、ショルツの所属する「ドイツ社会民主党」は、東ドイツの気質が残り、「アメリカは第二次世界大戦後、ベトナム、シリア、アフガニスタン、イラクから撤退しつづけ、そんな国に従うと非常に危険だ!!」とする。

それが老害バイデンは気に喰わないのだろう、ムキになってドイツ苛(いじ)めをイギリスと行うが、ショルツ首相は、ドイツの「レオパルト2」より前に、アメリカが主力戦車「Ｍ1エーブラムス」を送るべきと対抗した。

が、ドイツも「国連」の「敵国条項」から外されていないため、英米の圧力に果たして持ちこたえることができなかった。

ここまで来たら、何が何でも「パワーブローカー（Power Broker）」は、プーチン大統領を戦車を含む最新鋭兵器で追い詰め、一刻も早く「戦術核兵器」をウクライナで炸裂させたい。そうでないと経済崩壊寸前の中国が日本に「戦術核兵器」を使っても、ウクライナと同様アメリカが同じ戦術核で反撃しないというメッセージを送りたいのに送れないことになる。

そんな時に出てきたのが、「ＣＳＩＳ／Center for Strategic and International Studies（戦略国際問題研究所）」の「台湾有事シミュレーション」で、計24回の模擬戦争で判明したのが、台湾が自治を維持するという結果だった。

それを知った中国は、「環球時報」（1月12日付）で、「米シンクタンクがウォーゲームで戦争を誘う。海峡両岸は騙されない」と報じた。

が、それは同時に、日本本土から出撃するアメリカ空軍機を叩き落とすには、地上にいる日本の基地を破壊すればよく、それには「戦術核兵器」の先制攻撃しかないと思わせるに十分だった。

そんな折、ＥＵ内部の決めごとや法を守らないポーランドが「ウクライナ支援国会議」で、主力戦車「レオパルト2」のウクライナへの供与に慎重なドイツの姿勢に反発、「ドイツの許可なしでも戦車（国内のレオパルト2）を供与する可能性がある」と発言、バイデン大統領を大いに喜ばせた。

ドイツでは、EUの規定とドイツ国内法で「レオパルト2」の運用には慎重で、ドイツで製造されるため、供与にはドイツ政府の許可が必要となるが、ポーランドは全く意に介さないようだ。

ポーランドのマテウシュ・モラヴィエツキ首相は、ダボスの世界経済フォーラムからの帰途、「ポーランドは既にウクライナに戦車14両の供与を申し出た」と明らかにし、「他国もこうしたニーズを満たすようにしなければならない。他国の中でこれまで最も積極性に欠けているのはドイツだ」と非難していた。

東京の「アメリカ大使館（極東CIA本部）」の飼い犬で、「統一教会」と在日シンジケートが支配する自民党と、「WGIP／War Guilt Information Program（戦争罪悪感プログラム）」で在日が上層部を占めるNHKを含む民放TV局に洗脳された日本人は、ロスチャイルドとロックフェラーと闘うプーチン大統領を、勝手にウクライナに攻め込んだ悪党と信じている。

が、結果としてプーチン大統領は、日本の国体（天皇陛下）の命を「ウクライナ侵攻」で助けたことになり、今まで「戦術核兵器」を使うことに躊躇し、その間、日本を中国の「戦術核攻撃」から守ってきたことになる。

昔、日本人は「鬼畜米英」と言っていたが、それが預言のように正しかったことになる!!

stay alive

日本は最前線に立たされる！ アメリカが〝台湾有事〟を〝日本有事〟にして日本人の財産、資源をまるごと奪う悪魔の戦略！

２０２３年から、沖縄県の「嘉手納基地」所属の「Ｆ－15Ｃイーグル戦闘機」48機の段階的撤退が始まり、海兵隊も５０００人とその家族が本国とハワイへ移転、残りの海兵隊４０００人と家族もグアムへ移転する。

それどころか「台湾（尖閣）有事」の際、中距離射程２７００キロの陸軍極超音速ミサイル「ＬＲＨＷ」の２０２３年度内の配備が突然中止になった!!

要は「台湾有事」と同時に起きる「尖閣諸島侵攻」の最前線から、アメリカ軍がリスクを恐れて撤退するわけだが、一体何のための「日米安保条約」だったのだろうか？

ところが、「統一教会」と連立する「清和会」支配の在日「自民党」の動きが、在日米軍の撤退のタイミングと見事に嚙み合っているのだ。

２０２２年12月8日、岸田首相が突然〝防衛費増額〟の財源について、「政府与党政策懇談会」で「約1兆円強は国民の税制でお願いしなければならないと考えている」と発言、これがアメリカ軍の撤退とリンクすることから、在日米軍撤退と足並みを揃えていたことがわかる。

12月10日、今度は「自民党役員会」の席で、防衛費増額の〝財源〟に充てる〝増税〟をめぐり、岸田首相が「今を生きる国民の責任!!」と、国民に対し責任を取れと言ったことで、ＳＮＳが「ふざけるな!!」と大炎上、それでも岸田首相の深海魚政治は健在で、一向にかまわぬ顔で国民に対し増税の結論だけを迫っている。

本来なら、今までにない規模の防衛費増額については、「国政選挙」の公約に掲げて然るべきテーマだが、具体的な使途に関する説明はほとんどなく、圧倒的多数の議席数があるため、国民が負担を受け入れて当然という顔で国民に向け丸投げで押し切るつもりのようだ。

とにかく国民が２０２２年夏の「参院選挙」の際、自民党の公約にサラッと防衛費の大幅増を掲げてはいたが、肝心の〝財源〟を一切明記せず、増税に関する記述もなかったため、国民は油断して「銃撃された安倍元首相の弔い合戦!!」を叫ぶ自民党に票を入れたのだ。

ＳＮＳの荒れように大慌ての自民党は、岸田首相の「今を生きる国民の責任」を「今を生きるわれわれ（自民党議員も加えた）の責任」と言い換えたが、所詮は小手先の誤魔化しである。

そもそも防衛費の1兆円を超える大増税に舵を切るような場合、「衆院解散」の上で「総選挙」で国民の意思を問うのが当然だが、深海魚政治の岸田首相にはその気は全くないようで、増税の是非を問うための選挙を完全に否定している。

が、在日アメリカ軍撤退と防衛費1兆円大増税はワンセットなのは歴然で、「台湾有事」を〝日本有事〟にするアメリカの策も見えており、アメリカの世界戦略の片棒を担がされるどころか、気がつけば日本が最前線に立たされる構図も見えてくる。

日本は、米国製の巡航ミサイル「トマホーク」を新規に500発取得し、国産の「12式地対艦誘導弾（改良型）」を1000発揃える方針で、極超音速ミサイルの開発も計画している。

アメリカが日本列島からフィリピンに繋がる「第一列島線」の配備を計画していた「地上発射型中距離ミサイル」について、在日米軍への配備を見送る方針を決めたのは、日本がアメリカ製の中射程ミサイル「ＬＲＨＷ／Long-Range Hypersonic Weapon（長距離極超音速兵器）」の購入を決めたからだ。

日本が「反撃能力」を持てば、アメリカがいなくても中国の中距離ミサイルに対する抑止力が強化されるため、アメリカ軍は不要と判断したらしいが、海兵隊までが撤退とは自衛隊を最前線に送るための詭弁で露骨過ぎるだろう。

アメリカは中国との最前線に日本の自衛隊を送り込み、九州の麻生王国の福岡に「ＬＲＨＷ」を配備すれば、アメリカ軍がそこにいる必要はなく、自衛隊を訓練して管理すればよく、仮に福岡が先制核攻撃をされても、アメリカ軍はそこにいないことになる。

日本人はアメリカ製の武器を持つ体のいい傭兵に過ぎず、戦後、日本人はアメリカが日本を守っていると自民党に騙され洗脳されたことになる。

が、「ＬＲＨＷ」はアメリカ製なので、中国本土に着弾すればたとえ自衛隊が先制攻撃で発射しても、中国にとればアメリカが関与したことになるため、突然、「ＬＲＨＷ」の九州配備を中止する。

その代わり、日本に中距離ミサイルの開発を命じてきたのである……。

stay alive

細部は虚実入り交じったかけひきだが、ロスチャイルド、ロックフェラーの国際連合が、裏で暗躍していることだけは間違いない！

「台湾有事＝日本有事」と地球の反対側の「ウクライナ侵攻」は鏡合わせで連動している。

イギリスのロスチャイルドとアメリカのロックフェラーの各々の手先、アメリカのバイデン大統領と腰巾着（こしぎんちゃく）のリシ・スナク首相双方の圧力と、「国連」の敵国条項で抑えられたドイツのショルツ首相に、これ以上の抵抗は不可能だった。

２０２３年２月24日、１年前にロシアがウクライナに侵攻した同日、ドイツ誌『シュピーゲル』は、ＮＡＴＯ各国に２０００台配備されるドイツの主力戦車「レオパルト２」を、アシュケナジー系ユダヤのゼレンスキー大統領の要望に従い供与すると伝えた。

仮に２０２３年春のロシア軍の大攻勢にウクライナ軍が総崩れになったら、原因はドイツのショルツ政権が「レオパルト２」を出し渋ったからとされて、ショルツ政権どころかドイツという国家が国際舞台で吊るし上げられる。

その国際社会（正式には白人の西側先進諸国）を支えているのは、「世界金融システム」を牛耳るロスチャイルドと、ドルの「基軸通貨システム」を支配するロックフェラーによる国際組織「国連」である。

ドイツが英米の強い要望を受け入れるため、アメリカも妥協せねばならず、ショルツ首相が言う「レオパルト2の前にアメリカが主力戦車M1エーブラムスを送るべきではないのか」に応えたと思われる。

2023年2月24日、アメリカの新聞「ウォール・ストリート・ジャーナル」は、複数のアメリカ政府関係者の言葉として、バイデン政権がアメリカ軍の主力戦車「M1エーブラムス」をウクライナに提供する最終調整に入ったと報じた。

国際外交の難しい点は、ドイツが出した提案をアメリカが受け入れたら、今度はドイツが受け入れねばならなくなり、仮にアメリカが少量でも「M1エーブラムス」をウクライナに送れば、EU全体で「レオパルト2」をウクライナに送らねばならなくなる。

軍事専門的に言えば、「M1エーブラムス」の動力は、軍事用ヘリコプターを含む航空機に搭載する「ガスタービン」で、戦車とは思えない時速67キロの高速で走れる分だけ燃費が非常に悪く、重量を軽くするため車体上面後部は装甲が薄く、運用視界の悪さと、懐に入り込まれた時の脆弱(ぜいじゃく)さが欠点となる。

「レオパルト２」がディーゼルエンジン（４ストローク機関液冷ターボチャージドディーゼルエンジン）で、燃費は「Ｍ１エーブラムス」の２倍もあるのに対して、「Ｍ１エーブラムス」はイラクの砂漠なら高速道路のように走るが、ジェット燃料の補給が追い付かないため、軍事ヘリが燃料を入れたビニール袋を進撃方向に並べる必要があった。

要は、バイデン大統領は「Ｍ１エーブラムス」をウクライナに投入すると、様々な欠点があらわになるため、出し渋っていたと思われ、その最大の懸念が、「Ｍ１エーブラムス」が放つ「劣化ウラン弾」である。

「劣化ウラン弾」はウラン濃縮の際に副産物として生成される〝汚れた核（汚い爆弾）〟で、アメリカがウクライナでそれを先に使用する事態に陥る。

そんな中、ポーランド等の「レオパルト２」の保有国によるウクライナへの供与も承認され、これでロシアとＥＵの「第三次世界大戦」必至の状況が、ロスチャイルドのピエロによって確実となった。

一方、プーチン大統領を支えるメドヴェージェフ（元）大統領ら右派連合は、「今、戦術核兵器を使わなければ、いつ使うのだ⁉」の合唱連呼も必定で、いくらロシアが戦術核兵器使用を警告しても、ゼレンスキーを筆頭に西側諸国はロシアを舐め切り、小馬鹿にさえして耳も貸さない。

２０２３年2月24日、1年前の「ウクライナ侵攻」と同じ日にゼレンスキー大統領は、ベラルーシのルカシェンコ大統領に書簡を送り、ウクライナと不可侵条約締結の提案を持ち掛けた。

それに対し、ルカシェンコ大統領は「なぜこういう提案が出されたか理解できない。この男はウクライナ領土に軍を送るなと言いながら、別の口でベラルーシの過激派を武装させ内紛を進めている」と非難した。

同日、ロシアのゲラシモフ参謀総長は、「今のロシアでこれほどハイレベルな軍事行動は前例がなく、ロシアは英米主導の西側諸国全体から攻撃を受けている‼」と述べ、暗に核兵器が使われる「第三次世界大戦」の勃発を匂わせている。

stay alive

悲惨な未来予想図！　ヨーロッパをイスラム軍に攻め込ませるためにも、天皇家の「契約の箱」「三種の神器」が必要だ！

日本のTVなどマスゴミは、自民党の顔色重視でほとんど報道しないが、2022年10月27日付のイギリスの「フィナンシャル・タイムズ」紙は、沖縄の在日米軍「嘉手納基地」の「F－15Cイーグル戦闘機」の撤退による後継機「F－22Aラプター戦闘機」の巡回配備に対し、中国に間違ったシグナルを送ることになるというアメリカ議会の批判を報道した。

2022年11月2日付のアメリカの「ウォール・ストリート・ジャーナル」紙も、社説で代替機の恒久配備なしに沖縄から「F－15Cイーグル戦闘機」を撤退させるアメリカ政府の決定は、防衛力低下になるとともに、中国と周辺各国に間違ったシグナルを送っていると批判した。

これが何を意味するかは歴然で、アメリカ軍が沖縄と日本本土からトンズラした東アジア～極東アジアで最強の中国が、今がチャンスと「台湾侵攻」を開始、ほぼ同時に「尖閣諸島」へ侵攻、日本領土を守る自衛隊が出動して中国と衝突、全面戦争に突入する事態である。

ところが、肝心の日本は『チコちゃんに叱られる！』（ＮＨＫ）の「ボーっと生きてんじゃねえよ！」の通り、「台湾が中国に攻撃されても、アメリカ軍が戦うんじゃないの？」「今までもそうだったじゃん」と高みの見物を決め込む気でいたが、頼みの綱のアメリカは、尖閣諸島や最西端の「与那国島」に続く中国の「第一列島線」の防衛は日本でやりなさいと、主力部隊の海兵隊５０００人と家族は２０２３年でアメリカ本土、ハワイ、グアムに移転を完了する。

戦後、エコノミックアニマルに走った団塊の世代の口癖は、「水と安全はタダ!!」であり、国会でも自衛隊不要論が堂々とまかり通ってきた。

実は「水と安全はタダ!!」と教えたのは自民党で、日本人のほとんどは自民党に洗脳されつづけた結果フヌケになってしまった。

戦後、ダグラス・マッカーサーによる「ＷＧＩＰ（戦争罪悪感プログラム）」で日本人を洗脳した結果、日本を守るのはアメリカ軍で、日本人ではないという日本人が大量に生まれたのだ。

それを加速させたのは「ＧＨＱ（連合国軍最高司令官総司令部）」を引き継いだ東

京の「アメリカ大使館（極東ＣＩＡ本部）」で、白人社会に歯向かう日本人の牙を全て抜くことに徹していった。

結果、世界でも稀有な「戦争になるくらいなら国土を手渡してもいい」「中国が攻めてきたらすぐに手を上げる」「自衛隊は要らない」と考える日本人は結構多く、極端な例として「自衛隊が一斉攻撃されても専守防衛を貫くべし」とか「中国の核で滅びる美学が世界の人々を救う」と言い出す者まで現れている。

ロスチャイルドとロックフェラーが欲しいのは、ユダヤのレガリアである天皇家の「契約の箱」「三種の神器」で、それさえ手に入れば大和民族（ヤウマト）は地上から一人残らず駆逐する謀略が存在するのだ。

既にその8割近くは成功し、ビル・ゲイツ製遺伝子組み換えゲノム溶液の接種が進み、接種後3年で遅延死させる2023年に突入、そこへ中国に日本人を熱核反応で蒸発させればロックフェラーは手間が省け、遅延死ワクチンをカモフラージュできることになる。

その意味から、一刻も早くロシアを追い詰め「戦術核兵器」をウクライナに使用させ、「アメリカ議会」がロシアとの全面核戦争を避けるため、ＮＡＴＯとともに核で応戦しない姿を中国に見せつける。つまり安心して「台湾侵攻」をしてくださいとなる。同時に「国連」の「敵国条項」に残る世界の敵の日本に、中国は堂々と何発もの「戦術核兵器」を落とせばいい。それがシナリオであり、中国の先制核攻撃に日本は対応できない!!

特に福岡の惨状は悲惨を超える地獄図絵になる。それを見た台湾は戦闘意欲を失い降伏することになる。

実はアメリカにとって中国を倒すのは「第二列島線」で叩き潰せばよく、中国軍を日本からも追い出した後、ユダヤの「レガリア」はアメリカ軍がチャッカリと頂戴するという段取りである。

それに失敗しても、既にイスラエルが作ってあるレプリカを使って、イスラエルに「第三神殿」を建築させ、激怒する全イスラム諸国を、「十字軍」の時代から宗教戦争を仕掛けてきたバチカンを含むヨーロッパに攻め込ませることを狙っている。

イスラエルを滅ぼすのはその後でもかまわない。まず今は、イスラエルの行動を容認するヨーロッパ人から命を狙われるイスラム難民を救う使命と、バチカンを含む「十字軍」のキリスト教圏を滅ぼす「ジハード（聖戦）」を起こさせることである。

それが全ヨーロッパで起きないと、「イルミナティ【後期】／Illuminati（Late-day)」の「ニューワールドオーダー（New World Order)」の「グレートリセット

(Great-Reset)」にスイッチが入らない。

それはイスラム諸国とEUを衝突させ両方を地図から消し去り、アジアでは日本と中国を地図から消すことで、ロシアを除けばロスチャイルドのイギリスと、ロックフェラーのアメリカだけが生き残り、世界を統一する最終段階に入る戦略である。

一方、ロシアは戦術核兵器を使ってウクライナを完全撃破、NATOはイギリスとアメリカの尻馬に乗って「レオパルド2」を多数の師団を訓練してウクライナに送り、特にドイツは旧ソ連に攻め込んだ先のナチスドイツの二の舞を演じるため、NATOとロシアの確執はウクライナ侵攻の先も消えることはない。

プーチン大統領はNATO壊滅に、広島型原爆「リトルボーイ」の6600倍ある史上最大の水爆「ツァーリ・ボンバ（AN602）」を使用する。

ヨーロッパの上空1000〜4000メートルで「超弩級水爆」を炸裂させ、その瞬間に発生する凄まじい電磁シャワーでNATO軍の全兵器の基盤と半導体を焼き切る作戦に打って出て、ロスチャイルドとロックフェラーの巣窟であるスイス（特にジュネーブ）を超音速核ミサイルで地図から消してしまうだろう。

が、プーチン大統領は、全く無傷で残るアメリカを横目で見ながら、「旧ワルシャワ条約機構」の国境で停止するはずで、後はイスラム連合軍がEUを灰燼と化すのを高みの見物となる。

ＥＵをゼレンスキーに巻き込ませたイギリスは、ＥＵではないのでロシアの攻撃は免れるが、ロシア軍の艦艇を受け入れざるを得なくなる……。その直後、正義の大国アメリカが悪いインディアンを蹴散らす騎兵隊よろしく、ラッパを吹きながらヨーロッパに大艦隊で駆け付ける筋書きが待っている。

だからプーチン大統領は「パワーゲーム（power-game）」でＥＵに攻め込むのは１００万のイスラム軍に任せるのであり、事実、ムハンマドの聖域「岩のドーム」の跡に「第三神殿」を建設したイスラエルを擁護するＥＵへの怒りに燃えるイスラム教徒の大軍は、北アフリカから地中海を越えてヨーロッパに上陸する部隊とともに、女性や子供を含めヨーロッパの異教徒は全て惨殺していく。

「我々は再びパンデミックを経験する」ビル・ゲイツの言葉通りに遅延死ワクチンのホロコーストが着々と進む！

新型コロナウイルス「ＳＡＲＳ－ＣｏＶ－２」の変異株「オミクロン株：ＸＢＢ」

は、ヒトの持つ「免疫」をすり抜ける力が強いが、症状を引き起こす力は高まっていないと「東京大学医科学研究所」の佐藤佳教授のグループ「G2P－Japan」が発表した。

グループは、ワクチンを接種後にオミクロン株の「BA・5」に感染した人の血液を使い、「XBB」の特徴を再現した結果、「XBB」に対する中和抗体の働きは「BA・5」に対する場合と比べ18分の1という数値が出たという。

さらに、オミクロン株に感染した人から取ったウイルスを、ハムスターに感染させる実験で、「XBB」に感染した場合の肺の炎症や損傷の度合いが、オミクロン株の「BA・2・75」と同じ程度で症状を起こす力は低いと判明。

アメリカの「CDC（疾病予防管理センター）」は、アメリカ国内でのオミクロン株拡大について、「XBB」と「XBB・1・5」が全体の32・5パーセントを占めるとし、今まで流行したウイルスで最も「中和抗体」が効きにくく、さらなる感染拡大が進むため、最も警戒が必要なウイルスと警告する。

一方、イギリスの「オックスフォード大学：ウェルカム統合神経画像センター」のグウェネル・ドゥオー教授は、新型コロナウイルスに感染すると「脳」が縮小すると発表、軽症の場合でも「脳」全体の大きさから灰白質減少が見られると、学術誌

『Nature』で警告した。

２０２２年2月、ドイツで開催された「ミュンヘン安全保障会議」で、ビル・ゲイツが「我々は再びパンデミックを体験することになる‼」と予言した。

人口14億１０００万人を超える中国では、習近平の一言で「ゼロコロナ対策」から「ウィズコロナ政策」に転換したが、中国のワクチンは、従来型の不活化ワクチンだけではなく、イギリスの「アストラゼネカ」と同種のアデノウイルスベクターワクチンで、さらにゲノムによる遺伝子組み換えタンパクワクチンなど9種類を開発している。

その内、科興控股生物技術（シノバック・バイオテック）の中国製遺伝子操作ゲノム溶液「アデノウイルス5型ベクターワクチン（Ａｄ５－ｎＣｏＶ）」が一番出回り、世界中に大量に送られている。

イギリスの医療関連調査会社「エアフィニティー」によると、今の中国の現状を、ヒトの免疫系をすり抜けるオミクロン株の爆発的拡大により、１日当たり５０００人以上が死亡し、１日当たりの感染者数は１００万人以上という数値を出し、春節で世界へ飛び出す中国人に警戒するよう指示した。

昔のコメディ映画の泥棒を追いかけるシーンで、背景を描いた絵の大きなドラムを回転させ、手前で演技者が走る真似をして、いかにも走っているように見せたが、それと同じことが今も起きている。

それは古代文明の天文学では地球が太陽の周りを回る「地動説」だったにもかかわらず、バチカンがしゃしゃり出て「天動説」を標榜した結果、ガリレオなど多くの占星術師（天文学者）が異端審問にかけられた愚行と共通する。

「オミクロン株は毒性が低いにもかかわらず、免疫系をすり抜けて感染させる」は、遺伝子操作ゲノムワクチン（特にｍＲＮＡ溶液）には、免疫系を破壊する仕掛けが組み込まれていて、接種すればするほど免疫系が破壊され、弱毒化したオミクロン株どころか花粉症でも命を失う羽目になる。

「新型コロナウイルスに感染すると脳が小さくなる」も、人為的に遺伝子操作したＲＮＡやＤＮＡの染色体は非常に脆（もろ）く、ある操作を経てプリオン蛋白質の「鞘（さや）」を形成、それをワクチンと称して接種すると、変異したプリオン蛋白質が脳が溶かし始めるのである。

人工的に作った遺伝子に対し、プリオン蛋白質は必ず変異を起こし、異常プリオン蛋白質「ＰｒＰＳｃ」に変異するや、半年で染色体が消えても自己分裂を繰り返し、脳や脊髄（せきずい）に運ばれ、正常なプリオン蛋白質「ＰｒＰ」「ＰｒＰＣ」に憑（と）りついて脳を溶かす「ＢＳＥ（狂牛病）」と同じ「ＣＪＤ（クロイツフェルト・ヤコブ病）」を発症させ命を奪うのである。

ビル・ゲイツの「我々は再びパンデミックを体験することになる」という発言は、「ファイザー」等が次々と人工ウイルスをゲノム操作で作り出し、そのｍＲＮＡワクチンで天文学的利益を上げる「マッチポンプ」のディレクターがビル・ゲイツという証明になる!!

世界中の目が「ウクライナ侵攻」のロシアと、「台湾侵攻」寸前の中国に向く間、その裏で着々とプロデューサーであるロスチャイルドとロックフェラーの「イルミナティ【後期】／Illuminati（Late-day）」による「グレートリセット（Great-Reset）」として遅延死ワクチンによるホロコーストが、ビル・ゲイツの手で進行しているのである!!

stay alive ⑮

中国の攻撃を誘発するため、麻生王国の福岡に「LRHW（中距離ミサイル）」配備が進められている！

アメリカの軍事ニュースサイト「Breaking Defense」は、アメリカ陸軍が開発する中距離ミサイル「ＬＲＨＷ／Long-Range Hypersonic Weapon（ダークイーグル）」の射程が、1725マイル（2775キロ）と公表したが、おそらくそれ以上飛ぶことは間違いないとされる。

「LRHW」は、台湾と尖閣諸島を繋ぐ南シナ海・東シナ海の中国が定めた「第一列島線」を狙え、その意味で「LRHW」は中国共産党軍の航空基地を狙う中距離ミサイルだが、中国本土攻撃を想定していないとされる。

それは、今のウクライナを見れば一目瞭然で、アメリカはロシアとの全面戦争も中国との全面戦争も望んでいないことで、ロシアと中国にとれば新たな核保障となる。

要は、戦略核戦争は「全面核戦争」になるので嫌だが、戦術核戦争なら「限定核戦争」なので容認する事態が生まれ、その戦場は第三国になるため、ヨーロッパなら「ウクライナ」、アジアなら「日本」が戦場になるのでかまわないとなる。

だから、イギリスに尻を叩かれたNATOのストルテンベルグ事務総長が、2023年1月31日に訪日し、今のウクライナの状況と日本と無縁ではないとわざわざ伝えに来たことになる。

そこで「LRHW」だが、通常弾頭だけでなくいざとなれば「核」も搭載可能で、小型（広島型原爆も小型になる）の「戦術核兵器」が使われることになる。

ウクライナを見てもわかるように、現段階でアメリカは中国との戦いに「核」を使わない〝地域紛争レベル〟の通常戦争を想定し、もしロシアが「戦術核兵器」の先陣さえ切ってくれれば、中国も日本に対して同じ戦術核兵器を使うことを想定している。だからアメリカはグアム基地がある「第二列島線」まで下がるわけで、「第一列島線」にある沖縄や九州などはとっくに見捨てている。

それだけでは日本をアメリカの〝撒き餌〟にするには不足で、九州あたりに中国が戦術核ミサイルで先制攻撃する本格的な〝餌〟を置かねばならない。

それには「ＬＲＨＷ」が最適で、航続距離の関係から日本（特に福岡）に配備する必要があり、それもアメリカ軍ではなく、陸上自衛隊を訓練して「ＬＲＨＷ」を操作させれば、アメリカの兵士と技術者は中国の戦術核から逃げることができ、中国も堂々とアメリカ軍がいない福岡を熱核反応で蒸発させることが可能となる。

福岡は「麻生王国」のため「ＬＲＨＷ」の配備がやりやすく、麻生副総理に「福岡県民は真の日本人である」とでも言わせれば事足り、中国は福岡市を熱核反応で蒸発させれば、台湾は恐怖して降伏すると考えるはずである。

そうなれば、中国人民解放軍は台湾に鎮座する東アジア最高峰の「玉山（ユイシャン）」（３９５２メートル）を手に入れ、そこに様々な最新レーダーシステムを置けば、第一列島線どころか遥かその先まで監視することが可能となる。

さらに、世界最高水準の半導体製造企業「TSMC」を手に入れられるなら、アメリカがトンズラした日本など一気に核で蒸発させればいい。

最初の戦場は「東シナ海（尖閣諸島）」「台湾」「南シナ海（南沙諸島、西沙諸島）」だろうが、2023年からアメリカ海兵隊5000人が、アメリカ本土、ハワイ、グアムへ撤退する計画が〝日本核攻撃〟への呼び水となる。

となると、「日米新安保条約」や「アメリカの核の傘」は、ウクライナを見るまでもなく「戦術核兵器」の登場で意味をなくし、アメリカは自国を防衛するだけの普通の国家と化し、それでも日本に基地だけは置いて、膨大な維持費を請求して居座る全く当てにならない国家となった。

結果として、今の現状なら「第一列島線」を最前線で戦うのは日本の「自衛隊」となり、日本列島全体が対中戦争の最前線となるため、今の国会の重税負担論争となっているのである。

この意味を全体的に俯瞰（ふかん）すると、世界人口の17パーセント（ロシアを含む）しかない白人諸国、特に欧米西側体制を維持するため、イギリスのロスチャイルドが支配する「世界金融システム」「国際為替システム」と、アメリカのロックフェラーが支配するドルによる「世界基軸通貨システム」を守る必要がウクライナへの武器供与となっている。

ところが実態はそれと真逆で、銀行に多額の金を預金する中流層が英米式「新自由主義」「グローバル経済」で消滅、代わって登場した「GAFAM（Google・Apple・Facebook・Amazon・Microsoft）」に代表される超巨大グローバル企業が利益を独占、税を納めない租税回避地「tax haven（タックス・ヘイブン）」で税を逃れることが常識化、その最大の租税回避地がロスチャイルドの「世界金融システム」のスイスになっている。

この意味は明確で、金を貸して取り戻し、預金させて金をロスチャイルドに吸い上げる「国際決済銀行（Bank for International Settlements）」があるバーゼルはスイスで、一方、ドルの基軸通貨で「国連」を組織させたロックフェラーの「国連機関」が揃っているのもスイスのジュネーブである。

ところが、圧倒的なドルの力で世界の資金の流れを支配できた時代は、「デジタル通貨」「暗号資産」の時代に突入したことで今や崩壊寸前にあり、ロスチャイルドが主導した「資本主義」も中流層の激減で末期症状にあるため、ロスチャイルドとロックフェラーは英米で世界を再編成する「ニューワールドオーダー／New World Order（新世界秩序）」を構築するため、英米の世界統一支配に邪魔になるEUとロシアを同

士討ちさせ、中国と日本も同士討ちで消し去ることにした‼

その戦争も小型核による「限定核戦争」なら英米、それもロスチャイルドとロックフェラーだけは助かるという理屈である。

ヨーロッパで炸裂した核による放射能を運ぶ西からの「偏西風」は、イギリスと逆方向で、アメリカは太平洋の先で、ロッキー山脈で守られているからである。

その前段階として英米で世界を支配するには、今の世界人口80億の貧乏人グループは邪魔者以外の何者でもなく、それを一掃するにはインフルエンザ程度に開発した人工ウイルスによる「ＣＯＶＩＤ－19」で〝偽パンデミック〟を世界的に演出し、3年ほどで遅延死する「遺伝子組み換えゲノム溶液」を接種させれば事足りる。

それを煽るのはロスチャイルドが支配するイギリスの「オックスフォード大学」と、ロックフェラーが支配するアメリカの「疾病予防管理センター（ＣＤＣ）」で、ウクライナを「第三次世界大戦」の起爆剤にするのも同じで、ＥＵを煽ってロシアと衝突させるのだ。

一方、ロシアの動きを横目で見ている中国も、「戦術核」の登場で「限定核戦争」が可能となれば、「第一列島線」「第二列島線」の確保に不可欠な「台湾侵攻」と「日本攻略」を一気に決行、特に最新兵器で応戦する危険がある日本を多弾頭ミサイルの

「戦術核」で攻撃すればお陀仏にできる。

そんな2023~2024年、アメリカが沖縄から撤退し、日本本土からも撤退すれば最大のチャンスが中国にやって来る……。

アメリカはウクライナに多額の援助をしており、2022年12月21日段階で、バイデン大統領は18億5000万ドル（約2440億円）の追加軍事支援を発表、2022年2月24日のロシアによる「ウクライナ侵攻」から始まった軍事支援の総額は約213億ドル（約2兆8000億円）に達し、さらに2023年も支援が続いた。

今や底無しのウクライナへの援助もあり、アメリカは中国の「第一列島線」に点在する中国人民解放軍の航空基地を破壊する、アメリカ陸軍の極超音速兵器「LRHW（Long-Range Hypersonic Weapon）」の日本（九州）配備から撤退することを発表した。

そうする理由は、既に日本が「12式地対艦誘導弾能力向上型」の巡航ミサイルを開発したからで、無駄な支出を抑えるためという。

「12式地対艦誘導弾能力向上型」は、2020年12月18日の閣議の「国家安全保障戦略」で、敵の射程圏外から攻撃できる「スタンド・オフ防衛能力」から開発された地対艦誘導ミサイルで、900~1500キロを射程に2025年を完成目途にしている。

これがどういうことかというと、2025年完成目途の「12式地対艦誘導弾能力向上型」の完成までを埋めるはずだったアメリカ陸軍の「LRHW」が突然配備されないため、2023年から日本は最先端の中距離ミサイルがない裸同然に置かれるということである。

一方、中国は、日本列島を十分射程にできる「中距離弾道ミサイル」を約1900発保有し、既に米中間で大きな「ミサイル・ギャップ」があり、その差は到底埋められないとされる。

だからアメリカは、日本列島を中国の餌にし、自分たちはサッサとトンズラして、火の海になった日本をアメリカのものにする機会を待つ底意を鮮明にしたということになる。

しかし、その間、日本は「国家安保戦略」で決定した「防衛力整備計画」で、射程1250キロのアメリカ製巡航ミサイル「トマホーク」を500発（1発1億円）購入し、国産の「12式地対艦誘導弾」の長射程化を進めることになる。

アメリカが「LRHW」の九州（福岡）配備を見送りにしたのは、福岡周辺で理解を得るのが困難と判断したこともあるが、「トマホーク」「12式地対艦誘導弾能力向上型」の地上配備も、ミサイルの航続距離から見て九州（特に福岡県）になることは必至で、所詮はアメリカの誤魔化しに過ぎない。

一応、アメリカは中国軍の軍拡状況と、さらなる中国との軍事バランスが狂えば、「ＬＲＨＷ」の日本（九州の福岡）への配備を再検討するというが、額面通りには受け取れない。

「ＬＲＨＷ」の射程距離２７７５キロに対し、アメリカ製巡航ミサイルの「トマホーク」の射程距離は１２５０〜１６００キロ、日本の三菱重工業が製作する「12式地対艦誘導弾能力向上型」の射程距離は１５００キロで、尖閣諸島を含む「第一列島線」の中国人民解放軍の基地を破壊するには、福岡から尖閣まで１０９８キロ、台湾までの距離１４１８キロなので、配備先は沖縄を除けば九州（福岡県）になるだろう。

そこは麻生太郎副総理の故郷で、麻生一族が経済を牛耳る「麻生王国」である。領主ともいえる麻生太郎の鶴の一声で決定する自民王国でもあるので、福岡への中距離ミサイルの配備は間違いないだろう。

すでに、隣の「安倍王国」の山口県では、暗殺前の安倍晋三（元）総理大臣と弟の岸信夫（元）防衛大臣の決定により、アメリカ軍と連携するレーダー施設「ＳＳＡ／Space Situational Awareness（宇宙状況監視基地）」を山陽小野田市に完成、第2宇宙作戦隊を配備したが、次はＡＡ（安倍＆麻生）コンビの「麻生王国」の地元の福岡に、中国の基地を叩き潰す中距離ミサイルの配備をする番である。
結局、アメリカの尻拭いを日本が代わりにやる羽目に陥ったことになる……。

stay alive

人類ホロコーストがスタート！　イルミナティ、パワーブローカーの世界浄化計画は常軌を逸する！

現在進行形で起きている「ウクライナ侵攻」は、表面だけを見ていたら単純に「ロシアVSウクライナ」の戦争だが、少し俯瞰的に見れば「欧米西側陣営VSロシア」の代理戦争とわかる。

が、そこで思考が止まったら罠に嵌(はま)る情勢になっている。

ロシアの「ウクライナ侵攻」を表だけで判断すれば、一方的にウクライナに軍事侵攻したロシアが「悪」になるが、ロシアの隣国のウクライナが「NATO東侵」のゴールのため、そうなると、緩衝地帯がなくなったロシアの目前に、NATO軍の戦車とミサイルが並ぶ光景が展開することになる点も見なければならない。

そこでプーチン大統領は、この事態を「自存自衛」の危機と判断、国際法で許されている「国家が自力でその存立を維持し自国を防衛する権利」を実行したことになり、事実、キーウ侵攻は失敗しても、ウクライナ東部と南部をロシアが併合した結果、緩衝地帯が出来上がり、2023年はそこを地雷原にしてロシアは戦っていることになる。

が、それとて表のわずか下程度で、ウクライナを経済的に支配していたのはイギリスのロスチャイルドで、さらにアメリカのロックフェラーの配下だったバイデンの息子ハンターや、ジョン・ケリー（元）国務長官の継息子クリストファー・ハインツと、ナンシー・ペロシ下院議長の息子ポール・ペロシ・ジュニア、モルモン教徒のミット・ロムニーの息子らがウクライナの全エネルギー企業の取締役に就任し「CIA」の職員数名も常駐していた。

それどころか、オバマ政権下のバイデンが、「ペンタゴン」の闇資金でウクライナ各所に「生物ゲノム兵器開発研究所」を建設、どれもアメリカ国内で開発できない「ゲノム兵器」で、このバイオ兵器研究所を許せばNATOとアメリカ軍は、いずれ間違いなくロシアに使うことが目に見えていた。

そこへ「ロシア正教」の宿敵の「バチカン」が、「ウクライナ正教」と手を結ぶに至っては、「ロシア正教」モスクワ総主教のキリル1世も黙ってはいない。

「ロシア正教」の原理主義者プーチン大統領と協調して「ウクライナ侵攻」を推し進

めたのである。

が、それすら表面の2枚下の状況で、さらなる深部で展開していたのは、ロスチャイルドと傍系のロックフェラーが、「グレートリセット」による「ニューワールドオーダー（新世界秩序）」の構築のために、幼児が感染しても平気でほとんど無害な人工ウイルス「SARS－CoV－2」を使って巻き起こした似非パンデミックだった。

そのために「イングランド銀行」でいくらでもポンドを刷れるロスチャイルドと、「FRB（連邦準備制度）」でドルを十分に刷れるロックフェラーの潤沢な資金がばら撒かれ、特にアメリカの「CDC（疾病予防管理センター）」と全米医療組織を支配し、世界の医療組織を牛耳るロックフェラー財団に多くの医師や病院が従っている。

似非パンデミックのやり方は簡単で、どの国でも年間の死亡者数を発表するが、その数の多くを「コロナ死」にカウントする手口で世界中を騙していった。

ビル・ゲイツが飛び回って世界に恐怖を撒き散らし、既に「SARS－CoV－2」製造の段階で準備していた「遺伝子操作ゲノム溶液」をワクチンと称して大量生産し、80億の人口を5億に減らす「ホロコースト」を開始した!!

プーチン大統領は、その「グレートリセット」でイニシアチブを取ろうと「ウクライナ侵攻」を開始し、プーチン大統領の最初の敵は「第三次世界大戦」を仕組む「世界金融制度」を支配するロスチャイルドで、「第四次世界大戦」ではアメリカのロックフェラーを叩き潰そうとするが、結果的にそれが「人類最終戦争（ハルマゲドン）」に発展する!!

今、西側陣営の政治家、医療関係者、経済人、その他大勢のワクチン推進派は、ほぼ間違いなく自分と家族には接種させず、「パワーブローカー」が推し進める「世界浄化」に全面協力することで、自分と家族だけは生き残ろうとしている。

それが「イルミナティ【後期】」の世界戦略で、プーチン大統領は、その配下のアメリカとイギリスと対峙し、生存を懸けて闘っていることになる!!

stay alive ⑰
ロックフェラーの望みグレートリセットは頓挫！　プーチンのウクライナ侵攻、徳仁陛下暗殺計画、狂ったシナリオの全て！

アメリカは「日米新安保条約」を裏切り、日本をアジアのウクライナにしようとしている。

簡単に言えば、ウクライナに莫大な武器援助をすることで、最先端のイギリスの戦車「チャレンジャー2」を口火に、ドイツの最新鋭戦車「レオパルト2」、アメリカのウクライナ仕様の「M1エーブラムス」まで投入、次は「F－16戦闘機」は当然で、その次は中距離ミサイルである。

イギリスのロスチャイルドとアメリカのロックフェラーは、予想を超えてプーチン大統領が2022年2月24日に「ウクライナ侵攻」を開始したため、同年7月17日に決行するはずだった「グレートリセット（Great Reset）」ができなくなった。2022年7月13日、バイデン大統領が慌ててイスラエルに飛び、エルサレムの「第三神殿」の建設を止めたからである。

これで「イルミナティ【後期】」による「ニューワールドオーダー（新世界秩序）」は一時棚上げになり、結果として「第三神殿」に不可欠なユダヤの「御神体（レガリア）」である「三種の神器」と「契約の箱」を日本から合法的に運び出す手順も狂ってしまった。

ユダヤの「三種の神器」は、天から降る食べ物マナを入れた黄金の「マナの壺」と、一夜で枝が伸び桜科のアーモンドの花が咲いた「アロンの杖」と、十の戒めを刻んだ2枚の「十戒石板」で、それを運ぶ金色の箱「契約の聖櫃アーク」が「第三神殿」の建設に不可欠だった。

それを２０００年も隠し通してきたのが日本の天皇家で、「伊勢神宮（内宮）」に天照大神の御神体で合わせ鏡２枚の鏡石「八咫鏡（やたのかがみ）」と、それを入れる本神輿の「御船（みふね）」、「伊勢神宮（外宮）」に女性器を象徴する壺（子宮）の胎児の姿の「八尺瓊勾玉（やさかにのまがたま）」、「熱田神宮」に草や木の枝が巻き付いた「草薙剣（くさなぎのつるぎ）」が隠されている。

絶対神ヤハウェの民のヘブライ語「ヤ・ウマト（大和民族）」が住む日本に、イスラエルのレガリアが隠され、それを管理するのが天皇徳仁（なるひと）陛下なので、「日韓未来志向」を謳い上げる韓国の新大統領、尹錫悦（ユンソンニョル）の就任祝いに国賓として迎える際に、ボーイング機を墜落させる手筈だった。

東京の「アメリカ大使館（極東ＣＩＡ本部）」が、現・上皇の元に強制的に送り込んだ赤ん坊が半島系の秋篠宮文仁（ふみひと）親王で、同じ在日の川嶋辰彦の娘の紀子妃の間に生まれたのが眞子で、在日の小室（金）圭と結婚することで、次期天皇の座を得るポジションとなった。

秋篠宮はアルコール依存症が酷い状態で、タイに隠し子がいるなど天皇に相応しくないが、東京の「アメリカ大使館（極東ＣＩＡ本部）」の命令で皇位継承権だけは獲得しておく必要があった。

それがあまり露骨過ぎないよう、眞子がいったん皇族から離れ、アメリカが「フォーダム大学」で預かっていた小室と結婚し、陛下が亡くなるのをじっと待っていた。

段取り通りだったら、当時の安倍（李）晋三が陛下死亡で緊急事態を宣言し、「女性宮家設立」を強行採決で押し切らせ、アメリカにいた眞子を皇室に戻すとともに小室を皇族にし、秋篠宮が健康（強度のアルコール依存症）を理由に息子の悠仁(ひさひと)親王が成人するまでの臨時として小室圭を新天皇に推薦、アメリカが小室天皇から合法的にユダヤのレガリアを秘密裏に頂戴する段取りだった。

それが、プーチン大統領の予定よりも早い「ウクライナ侵攻」で全ての段取りが狂い、その間も安倍（李）晋三は最大の在日系グループ「清和会」を継承、第三次安倍内閣発足を目指していたが、2022年7月8日、奈良県の近鉄奈良線「大和西大寺駅」前で暗殺された。

そこでロスチャイルドとロックフェラーはこれ以上計画を遅らせたくないため、プーチン大統領を西側の最新兵器で追い詰め、先に「戦術核兵器」を使わせようと画策、結果的にアメリカもNATOも「第三次世界大戦」を恐れて核による報復をしないことを習近平に確認させる戦略を推し進めることになった。

それを確認した習近平は、アメリカ軍が撤退した日本へ堂々と「先制核攻撃」を行うことになる。

つまりアメリカの「核の傘」など全く役に立たなくなり、アメリカは日本を「アジアのウクライナ」として利用することにし、それを中国の軍事専門家スン・ジョンピンが「環球時報」で伝えている。

「中国と日本は地政学的緊張だけではなく紛争の歴史があり、これら全ての経緯をアメリカは徹底的に利用し尽くすはずである。中国を封じ込めるアメリカの戦略に日本が安直に従うと、必ず日本は〝アジアのウクライナ〟にされるはずだ!!」

日本は中国人民解放軍を誘き寄せるための「撒き餌」にされ、中国から無数の多弾頭核ミサイルの攻撃を受けて消滅すると言っている。

逆にそれこそがロックフェラーの望むことで、日本列島強奪に邪魔な日本人を全て地上から消し去ってくれることを中国がやってくれるなら万々歳なのである!!

stay alive

⑱

主権国家の完全な根絶を目指す「ニューワールドオーダー」の歴史！　どのようにして世界の目標となっていったのか!?

新型コロナ「ＣＯＶＩＤ－19」が狼少年よろしく世界を席巻した頃、西側陣営の首脳や大臣たちが「ニューワールドオーダー／New World Order（新世界秩序）」を口走り始めることになる。

この「New World Order」という言葉は、「グレートリセット（Great-Reset）」と一緒に使われることが多く、一体この言葉はどこの誰が言い始めて西側陣営に拡大したのだろうか？

この言葉が「国際政治学用語」として登場した裏に、米ソ冷戦が終結した後の超大国アメリカ一国主義における「ポスト冷戦体制」があった。

それは同時に、近い将来、現在の「主権独立国家体制」から新しい「世界統一政府」の樹立を期待する言葉となっていく。

人類は大昔から連綿と、「家族」から「一族」、そして「仲間」から「村」ができて「町」となり、「市」となり、「群」となり、「県」となり、道州制なら「州」となり、「国」へと発展したが、その先に見えるのが、国境をなくした「統一世界」となる。

その中核となる「世界統一政府」は、基本的に白人を中心とするパワーエリート集団で構成され、地球レベルの政治、経済、金融、社会政策を統一、究極的には個人を監視、統制、統御する「管理社会」の実現を指している。

この「ニューワールドオーダー」という言葉自体は、「第一次世界大戦」後に、ロスチャイルドが支配するイギリスと、傍系のロックフェラー（ドイツ系アメリカ人ではない）が支配するアメリカの息のかかった政治家たちが標榜し、「国際連合」の前身である「国際連盟」の設立と、イギリスとフランスなど戦勝国によるドイツなど敗戦国の再起を抑止する「ベルサイユ体制」の構築により、欧米列強の勢力均衡が大きく変化したことを前提としていた。

特にそれを強調したのがアメリカ大統領ウッドロー・ウィルソンで、続く「第二次世界大戦」では、イギリスの首相ウィンストン・チャーチルが「ニューワールドオーダー」を標榜、「国際連合」樹立へと加速させた。

イギリスのＳＦ作家Ｈ・Ｇ・ウェルズも、主権国家の完全な根絶と、白人の高級技術官僚と少数エリートによる「世界統一政府」が地球を管理するテーマで、小説『The New World Order』（１９４０年）を出版している。

その後、ロックフェラーの壮大な自作自演で起こした「9・11：アメリカ同時多発テロ」を機会と見たアメリカ大統領ジョージ・Ｈ・Ｗ・ブッシュは、「アメリカ連邦議会」で「新世界秩序へ向けて（Toward a New World Order）」というスピーチを行い、以下の文面からブッシュjr.がロックフェラーの配下で、「イルミナティ【後期】／Illuminati（Late-day）」に属すると読み取れる。

「今日まで我々が知る世界は、有刺鉄線とコンクリートで分断された国境線があり、対立と冷戦の世界だったが、今、我々は新世界の扉を開く寸前にあり、その先に真の新世界秩序が待っている。

偉人だったイギリスのウィンストン・チャーチルの言葉にある〝正義と公正の原理により弱者が強者から守られる世界秩序〟がそれで、未来は国連が冷戦の行き詰まりから解放されたように、自由と人権の尊重が全ての国家において見出せる世界が開かれる!!」

２００８年、国連顧問（アドバイザー）のジェイム・イリエンと、ネルソン・マンデラの孫のンダバ・マンデラが「国連新世界秩序プロジェクト」を立ち上げ、２０３０年までに国連の持続可能な開発をグローバル目標とし、２０５０年までに地球上の全生命の幸福、健康、自由を、達成する「新経済パラダイム、グレートリセット(Great-Reset)」と「新世界秩序(New World Order)」を推し進めることを決定する。

２０１２年6月28日、同じくジェイム・イリエンが国際連合会議の中で「国際幸福デー」を提唱、１９３ヶ国の加盟国の満場一致で採択、「ニューワールドオーダー」が全人類の夢の未来とした。

アメリカのパスポートに刻印されている「国章（Great Seal of the United States）」は、円形の中にボールドイーグルの白頭鷲が平和のシンボルの「オリーブの枝」と戦争のシンボルの「13本の矢」を握っているが、まさに平和の名のもとに戦争を拡大する「軍産複合体」を示唆、死の「13」をイメージさせている。

白頭鷲は向かって左（鷲自身は右）を向いて平和のシンボルのオリーブの葉を見ているが、実態はそうではなく、オリーブの葉は13枚、オリーブの実も13個で、戦争のシンボルの13本の矢と同じで、実態は世界が平和になるとアメリカが成り立たなくなる「軍事大国」を象徴する。

その白頭鷲は口に「E Pluribus Unum（ラテン語で多数から一つへ）」の布を咥え、アメリカが「世界統一政府」を樹立することを宣言している。

それはまるで平和の美名だが、本性はアメリカの啓蒙思想「マニフェスト・ディスティニー（Manifest Destiny）」で、有色人種や異教徒をいくら殺してもイエス・キリストは褒めてくださり、西へ向かって太平洋を越えアジアの有色人種をいくら惨殺してもイエス・キリストは赦され、最後にエルサレムに至って世界統一を果たす願望が掲げられている。

要はアメリカの西部開拓を正当化する標語で、「明白なる使命」「明白なる運命」「明白な天命」「明白なる大命」を標榜している。

そのアメリカの国章の裏に「ピラミッド・アイ」が穿たれ、ラテン語で「novus ordo seclorum」、英語で「時代の新秩序（New Order of the Ages）」とある。

「イルミナティ【後期】／Illuminati（Late-day）」と関係が深いアメリカ人のスコティッシュ・ライト最高位の第33位階のアルバート・パイクが、同じフリーメイソン高位のイタリア人ジュゼッペ・マッツィーニに送った1871年8月15日付の書簡が的を射ている。

「第一次世界大戦は、ツァーリズムのロシアを破壊し、広大な地をイルミナティのエージェントの直接の管理下に置くために仕組まれる。そしてロシアはイルミナティの目的を世界に促進させるための悪党として利用されるだろう……（中略）……第二次世界大戦は、ドイツの国家主義者と政治的シオニストの間の圧倒的な意見の相違の操作の上に実現され、その結果、ロシアの影響領域の拡張がなされ、パレスチナにイスラエル国家が建設される……（中略）……世界統一政府を樹立するには、三つの大きな戦争が必要になる!!」

ここまでアメリカに露骨に扱われても平気な日本人は、もはや大罪の域に達したと言える!!

stay alive ⑲ 新たな火種となるのか!?　日本にも飛来！　アメリカは中国製「偵察スパイ気球」を撃墜・捕獲した！

２０２０年６月17日、宮城県上空１万メートル以上で、正体不明の白い球体の飛行物体が目撃された。

白色の気球のような物体の下に十字状の金属にソーラーパネルが片側５対、反対側に６対付いていて、交差した側の一方の各先端にアンテナが、もう一方に回転するプロペラが確認されたが、隣接する福島県上空にも同じ白い球体が現れていた。

この謎の白い球体は明らかに巨大な気球で、「国土交通省」の仙台航空事務所は、「航空法に基づく届け出は出ていない」とし、「警察」は「誰が飛ばしたものなのか等の詳しい情報はわからない」とし、「宮城県危機対策課」は「各機関と連絡を取り合っているが、有力な手がかりはない」とした。

２０２１年9月3日、今度は青森県八戸市上空に、再び謎の白い気球が出現、東北で目撃された同種と思われたが、結局、「日本政府」と「自衛隊」は何もしないで放っておいた。

ここが日本の「防衛省」の不可解な点とされ、最大の問題は、これが自民党政権下で起きた事件であることだ。以前大問題になった、海上保安庁の巡視船に故意に衝突した中国漁船の船長を、民主党政権が罪も問わずに中国に戻した対応と通ずるものがあり、何かモヤモヤしたものを感じた人は多かったはずだ。

仮にだが、もし気球が「生物兵器」「化学兵器」「核爆弾」を吊り下げていたとしたら、「自衛隊」はどうする気だったのだろうか？

一つだけ断言できるのは、航空自衛隊にスクランブル発進させなかったのは、在日アメリカ軍の指示だったことである。自衛隊には在日アメリカ軍に逆らう決定権がないことの典型的実例となる。

２０２３年1月28日、日本に現れたものとほとんど同じ白い気球が、アメリカ軍の「F－22Aラプター戦闘機」により、大西洋に出た近海で「空対空サイドワインダー」で撃墜された。

アメリカはこれを中国の「Spy Balloon（偵察スパイ気球）」と公表、バイデン大統領は「撃墜を成功させた飛行士らを称賛したい!!」と述べた。

多くの人はたかが気球如きに何をオーバーなと思ったはずだが、例えば、「太平洋戦争」の末期、1万メートルを超える高高度を飛行した「B－29爆撃機」に、排気タービンを持たない日本の戦闘機は高高度まで上昇できなかった（もっとも、一方の「B－29」も強い「ジェット気流」で爆弾が照準を大きく外れて落ちることを防ぐため、低空を飛行した結果、日本の戦闘機に次々と撃ち落とされ、撃墜された「B－29」の数は485機にのぼった）。

今回の中国製「偵察スパイ気球」は、その約倍の高度1万8000メートルを飛んでおり、自衛隊の「F－35Aステルス戦闘機」の最高高度1万5000メートルでも限界を超えるため、スクランブル発進しても撃墜できなかったとされる。

バイデン大統領の感謝の言葉の中で「飛行士ら」と〝複数形〟だったのは、公開映像に映る「F－22Aラプター」だけではなく、「F－15Cイーグル戦闘機」も追従していたからで、アメリカ海軍のタイコンテロガ級ミサイル巡洋艦「フィリピン・シー：CG－58」、アーレイ・バーク級ミサイル駆逐艦「オスカー・オースチン：DDG－79」、ハーパーズ・フェリー級ドック型揚陸艦「カーター・ホール：LSD－

50」等の艦艇も支援部隊で参加していた。

素人目には「風に乗って浮かぶ気球に何を大喜びをしているんだ？」と中国外交部の「過剰反応」と同じように感じるが、超高速で高度1万メートルを遥かに超える高さを飛行する「F－22Aラプター」にとって、ほとんど停止している気球を打ち落とすのは至難の業で、あっと言う間に通過するために銃弾ではなく空対空ミサイルを使わざるを得ず、それも気球の寸前で爆発させその破片で撃ち落としたのである。

もし「サイドワインダー」が直撃した場合、「偵察スパイ気球」の心臓部の基盤に命中するかもしれず、そうなると中国が何を入手していたかの電子データが取れなくなる。

「ペンタゴン」は、同様の気球がトランプ前政権下でも複数回、アメリカ本土上空を飛行していたことを公表している。中南米、東アジア、南アジア、ヨーロッパなど5大陸でも中国製の「偵察スパイ気球」の飛来が確認されている事実を明らかにした。

要は、ペンタゴンは以前から中国製「偵察スパイ気球」の存在を十二分に把握し、手薬煉（てぐすね）を引いて待ち構えていた。アラスカからカナダ、そしてアメリカ本土のミサイル基地上空を転々とやって来た人民解放軍部隊の「偵察スパイ気球」を、アメリカの国民だけでなく世界中の人々の前で撃ち落とし、中の電子装置も手に入れたら、中国の軍事レベルを垣間見ることができる。

この迎撃事件が、まるで計算されたように、アントニー・ブリンケン国務長官の訪中直前だったため、当然、訪中は中国の仕出かしで中止になるタイミングだった。

当然、習近平中国は大恥を掻かされて強く反発、民間の気象気球なのですぐに返還せよと息巻いたが、この気球が韓国上空も通過しながらどう飛行したかもわかっているため、故障で誤ってアメリカ上空に迷い込んだという言い訳は通用しない。

おまけに習近平は、中国の民間企業は全て中国共産党の配下としているため、全てが詭弁である。２０１９年から中国の戦闘機自体が「偵察スパイ気球」を撃墜するための訓練を、高度１万メートル以下の数千メートルで実施しているのは、自分もやっているのでアメリカもやるだろうという発想があるからだ。

２０２３年2月４日の中国製「偵察スパイ気球」迎撃の裏で、実はもう一つの中国製「偵察スパイ気球」が、同じ「F－22Aラプター」によって、カリフォルニア上空で撃ち落とされていた。

「ペンタゴン」はその気球を公開し、それが3年ほど前に仙台上空で目撃された気球と同種とし、「太平洋戦争」で日本軍が爆発装置付き気球「ふ号」を、偏西風を利用してアメリカ本土を爆撃したケースを模倣したものとみている。

アメリカ本土上空を外国の「偵察スパイ気球」や「スパイ無人機」等が飛行すれば、領空侵犯にあたるのは当然だが、実はアメリカは旧ソ連に対しても、中国に対しても「U－2高高度偵察機」で堂々と領空侵犯し、沖縄の「嘉手納基地」にある「SR－71超高速高高度偵察機」で中国上空を絶えず侵犯しつづけていた。

つまり中国はアメリカの策に見事に掛かり、世界が見守る中で大恥を晒した上、無法者のレッテルが貼られたのである。

習近平は今回の屈辱を、何かの形で晴らさねばならないだろう。

stay alive

強化されたロシア軍！老害バイデンはもはやウクライナ敗戦を先送りしたいだけ！

バイデン大統領はアメリカにとっても日本にとっても世界にとっても最悪の老害大統領である。

この老人がプーチン大統領に打つ手は全て外れ、バイデン主導で経済&金融封鎖してもロシアは経済破綻しないし、ロシア国内のプーチン支持率は強固で民主党が期待した内部崩壊など霧散している。

それどころか、今の食糧原価価格の高騰も石油価格の高騰も全てバイデン大統領による西側陣営総出のロシア封じ込めの反動で起きている。

ゼレンスキーの〝乞食外交〟にドップリ首まで浸からされたバイデンは、本来なら消耗戦で２０２２年で決着していたウクライナをさらなる破壊の場にし、全ての西側陣営をアシュケナジー系ユダヤ人の物乞い外交に引きずり込んでいった。

サウジアラビアのムハンマド王子は、そんな老害バイデンの言うことなど聞く耳を持たず、バイデンの「アメリカのために原油を増産しろ」の威圧を軽くスルー、高値で歩留まりしている原油価格の値を増産で落としてまでアメリカを助ける必要も義理もない。

２０２２年12月7日、リヤドで開催された「アラブ・中国サミット」で、サウジアラビアを中国の習近平が訪問するや、老害バイデンの時と比較にならない規模で大歓迎、アメリカ嫌いの「シーア派」の大国イランとともに、「スンニ派」の大国サウジアラビアまでがアメリカに背を向け砂をかけた。

プーチン大統領によるロシアの社会的結束と、何年も前から周到に準備を重ねてきた潜在的軍事能力、さらに欧米経済制裁に対する相対的な耐性をバイデン政権は完全に過小評価していたのだ。

今や、間違いなくバイデン政権の対ロシア代理戦争は失敗しつつある!!

２０２３年1月20日、ドイツの「ラムシュタイン空軍基地」で、アメリカのロイド・オースティン国防長官が同盟諸国に「さほど長期間ではない」「今から春までの間にチャンスがある」とウクライナの状況について発言しても空回りするだけだった。

問題は、最近のゼレンスキー政権において解任される重要役職者の数である。ウクライナに入る日本を含む西側陣営からの膨大な支援金を横領、自分の懐に入れる汚職が大臣クラスにまで及んでいるからだ。

その腐敗は半端ではなく、ゼレンスキー大統領顧問でメディア担当者のアレクセイ・アレストビッチは、今のウクライナがロシアとの戦争に勝てることに疑問を表明、ウクライナが戦争から生き残れるかどうかさえ疑問視している。

日本では、ＴＶもネットも西側のフェイクが横行。ウクライナの戦場でロシア兵だけが次々と倒れる動画が幅を利かせ、ロシアの最新鋭ステルス戦闘機が地上の機銃照射で次々と撃墜されるゲームのＣＧばかりが本物として流されている。バイデン政権はロシア軍の脱走兵の数を挙げ、まるでウクライナ兵は一人も死んでいないと思わせるアメリカ式マインドコントロールが日々行われている。

が、現実はアメリカのフェイクと全く違い、ウクライナ軍の損失は甚大で、判明しているだけで15万人が死亡か推定死亡、行方不明者は3万5000人に上り、ウクライナ軍は致命的に弱体化している。ロシア軍による再攻撃の圧倒的な重みの中、ウクライナ防衛体制は粉々に粉砕される可能性が高いとの内部告発もある。

ウクライナの物的損失は深刻で、現時点で何千輌もの戦車、装甲歩兵戦闘車、火砲、防空システム、あらゆる口径の武器が破壊されている。アメリカが鳴り物入りで支援した「ジャベリン・ミサイル」も生産7年分に相当する量が、ロシアのミサイル攻撃を受け倉庫ごと破壊されている。

現在、強化されたロシア軍は、ロケット、ミサイル、自爆ドローン、徹甲弾など、あらゆる種類の約6万発を発射可能で、ウクライナ軍はこうしたロシア一斉射撃に耐えることは不可能とされる。

老害バイデンについていくEUと西側陣営が、予想通りウクライナ敗北の流れを食い止められなかった時、「ワシントン十字軍」は壊滅、実際、ハンガリーとクロアチア政府はNATO加盟諸国は決して強固に団結していないと暴露、バイデン政権は〝ウクライナ敗北〟を先送りしたい願望があると認めている。

ウクライナ国民には同情的ながら、ウクライナのためのロシアとの全面戦争をベルリンは支持しなかった。現在ドイツ人はウクライナ軍の壊滅的状況に不安を感じている。

NATO軍事委員会の元委員長で退役ドイツ空軍大将ハラルド・クジャットは、アメリカがドイツをロシアとの紛争に陥れるのに成功したと暗にバイデン政権を非難した。

ロシアとの代理戦争で西側陣営が勝利する取り組みで、老害バイデンは歴史的現実をほとんど無視しているため、この老害についていった国は日本を含めて大変な事態に陥る。

日本の全てを売り渡すまで！　在日が日本名で支配する自民党のもとで対馬、京都が次々と買収されている！

李氏朝鮮の末裔である安倍晋三の祖父で自民党（元）首相の岸信介以来、半島系「統一教会」と連立する「自民党」の政権下で、いつの間にか国境の島の一つの「対馬」（長崎県）の土地を、韓国人や韓国企業が入れ食い状態で買い漁っている。

対馬といえば、北の玄関口の比田勝港では韓国語がカーラジオで流れ、釜山港まで約75キロしかなく、高速船で1時間半で到着する。

コロナ前は「比田勝港国際ターミナル」の周辺は韓国人で溢れ、ハングルの看板が立ち並び、歩いている人間は韓国人観光客ばかりの有様で、特に週末は韓国人しかいない状況だった。

比田勝の多くは既に韓国資本に買われたため、半島から見たら既に日本領ではない有様だが、対馬市の中心の厳原町もほとんど韓国資本が買い漁り、川端通りは「アリラン通り」となった。

国境を守るはずの「海上自衛隊対馬防備隊本部」の真横の土地も韓国資本が買収、今の自衛隊の敷地区域は旧海軍の施設が置かれた要衝だったが、その地域が韓国資本にほとんど買収され、韓国人専用の施設が並ぶ。自衛隊の無線内容は韓国に駄々洩れになっているはずである。

「統一教会」と偽装離婚で誤魔化している自民党は、今も、「日韓トンネル建設」を諦めておらず、特に、自民党副総理の麻生太郎一族による「麻生セメント」が巨額の利益を得るため、裏で「統一教会」と太いパイプを維持している。

韓国の観光業関係者は「対馬はもともと韓国領ニダ」「いずれ韓国の領土になるニ

ダ」と胸を張るが、在日が日本名で支配する自民党は何食わぬ顔で見過ごしている。

２０１2年、対馬の三つの神社と寺に韓国人窃盗団が侵入し、「重要文化財」の仏像2体などを奪い去ったが、韓国の裁判所が「盗難仏像」の日本への返還を事実上拒否する決定を下し、１体は返還されたが1体が返還されない（戻る可能性が出てきたがいつになるか不明）。事件が起きた裏には、「対馬はどうせ韓国領ニダ」の底意がある。

京都も中国資本が大量に流入し、町屋などが次々と買収される原因が、安倍（李）晋三の日本売り円安誘導の「アベノミクス」で、半島系が支配する自民党（最大勢力の清和会）は、日本の全てを外国資本に売り渡すことに抵抗が全くない。

２０２3年2月6日、「独国際放送局：ドイチェ・ヴェレ」の中国語版サイトは、30代の中国人女性が沖縄県の無人島を購入したと報じた。

その島は「屋那覇島（やなはじま）」で、９１7件の土地所有権のうち約8割の７２0件を一人で買い取ったという。

屋那覇島から50キロ離れた「伊江島」はアメリカ軍の空対地ミサイル演習拠点で、自衛隊にとっても軍事的重要性があるが、自民党政府は影響がないと無視している。

一方の中国は、中国の土地は中国の財産であることが当然で、外国人が購入すること自体を禁止しており、それが許される日本（西側陣営）の方が狂っているとする。

そこで、ようやく岸田内閣は重い腰を上げたが、横須賀などの海軍基地周辺は既に中国人が買い占め、「第七艦隊」の様子を絶えず監視報告している有様は、今の自民党の本質を露呈している。

日本の土地を中国人が買おうと、イギリス人が所有しようと、中国領になるわけでもイギリス領になるわけでもないのが国際的大原則である。

が、例えば中国共産党のやり口の一例として、外国に中国大使館を置く場合、中華街建設とワンセットなのは、広大な中華街に大量の中国人や学生を送り込む。市街地を造成してさらなる巨大な中国人都市を建設して裏から国を乗っ取るためだ。

現在、東京の池袋駅周辺一帯を中国系企業が次々と買い占めているが、そこを巨大な中華街とし、そこへ中国から学生や中国人を大量に送り込み、周辺の住宅地に次々と住んで一気にその数を増やせば、中国勢力を追い出すことは不可能になる。

半島系が支配する自民党に任せっきりで、ボォ〜〜と生きている日本人の方が悪いのだ。

こんな日本に大軍で押し寄せてくる中国人民解放軍に対し、嘉手納基地から米軍機が段階的にトンズラ、アメリカ海兵隊もアメリカ本土、ハワイ、グアムに移転する2

023～2024年、中国からの攻撃も自衛隊だけで防ぐのは不可能で、そうなった時、多くの日本人は核ミサイルと武装中国軍とどう戦うのか？

というより、ウクライナでロシアが「戦術核兵器」を使用すると同時に、中国も多弾頭ミサイルで「戦術核兵器」を「台湾侵攻」と同時に日本に撃ち込む可能性があり、日本人は一体どんなビジョンを抱いて今を生きているのだろうか？

全てはGHQの日本占領から始まった！　朝鮮民族を戦勝国として日本の中枢に送り込んでのステルス支配の構造！

終戦直後の「GHQ（連合国最高司令官総司令部）」の下部組織「CIE（民間情報教育局）」が練り上げた「日本占領プログラム」が現在も生きている。

それが「WGIP（戦争罪悪感プログラム）」で、アメリカの直接統治ではなく、日本人との間に在日朝鮮人を挟んだ「間接支配」、今流で言う「ステルス支配」が続行されている。

白人による世界統治システムに逆らい、結果として欧米列強の植民地支配を終わらせた大和民族を封殺するため、「日韓併合」で日本に大勢いた顔の似た朝鮮民族を「戦勝国民」とし、永久的に日本人を支配することを条件に様々な〝特権〟を与えた。

その特権として、終戦直後から在日朝鮮人の顔役に焼け野原だった鉄道駅前の土地を次々と与え、「闇市」を仕切らせ、進駐軍の残飯と物資を優先的に横流しした。

「GHQ」の撤退後、「WGIP」を継承した「アメリカ大使館（極東CIA本部）」は、傀儡（かいらい）の自民党を組織し、在日朝鮮人に「在日就職枠」「在日特権」「特別永住権」「通名制」を与えることを次々と実行させ、在日朝鮮人なら無試験で国立大学に入れ、たとえ高卒でも霞が関の省庁に入れ、大企業、TV局、新聞社に無試験で入れるばかりか、芸能界でも日本人より優先されるようにした。

そんな中で、安倍（李）晋三の祖父で首相だった岸（李）信介と、「朝鮮戦争」で生き残った文鮮明の「統一教会」を連立させ、二人三脚で日本人を支配する体制が今も続き、関係露呈後は建前では仕方なく離れているが、実態は「アメリカ大使館（極東CIA本部）」が指導する〝虚偽離婚〟で関係が継続されている。

それればかりか、今も日本全国の地方自治体では、在日を優先的に就職させねばならない「在日特権」が残りつづけ、表向きは試験を行うが実態は無試験に近く、成績が悪くても採用している。

奈良市が２０１９年から在日外国人採用を許容したのをはじめ、在日朝鮮人どころか、岩手県では日本国籍を持たない韓国人の受験を認め、小泉（朴）純一郎や多くの自民党在日国会議員がいる神奈川県では「1種試験（行政）、3種試験（行政）」をはじめ、ほとんどの技術系や免許資格職の試験区分で、韓国籍の人間が受験できる。

在日の大村秀章知事の愛知県をはじめ、膝元の名古屋市では韓国籍でも消防職を除いて公務員採用試験を受験でき、そのほか「滋賀県」「長野県」「三重県」「高知県」「沖縄県」「大阪府」も韓国籍はＯＫ、政令指定都市「横浜市」「大阪市」「神戸市」「札幌市」「仙台市」「広島市」「京都市」も韓国籍でもＯＫになっている。

２０２２年の日本人の完全失業者数は１７９万人とされるが、在日朝鮮人や韓国籍の失業者は、犯罪者や重病患者以外は限りなく0と思われる。

「人事院規則8－18・第9条」の規則で「日本国籍を有しないものは採用試験を受けられない」とされる「国家公務員」は、建て前では日本籍のみだが、日本国籍を持つ在日朝鮮人には関係ないザル法である。

「在日特権」「通名制」で守られた霞が関官僚の在日朝鮮人は、全てアメリカ主導の政策を立案、推し進めることを条件に働くシンジケートを組織し、シンジケート内で次々と出世させた後、上層部が在日朝鮮人で一杯になると、大企業の幹部の座へ次々と天下りするシステムを構築、だから日本の在日朝鮮人は明けても暮れてもアメリカ様々なのだ。

特に半島系が重役陣を支配する日本のTV局や新聞社（ナベツネが逝けば読売新聞社の幹部も全て在日となる）は、「アメリカ大使館（極東CIA本部）」の大衆操作（マインドコントロール）の要となり、いくらでもTVを通して日本人を操作できるようになっている。

だからデイヴィッド・ロックフェラーが最後に言い残した「ヤマト（日本人）を全て殺せ!!」に対しても、日本人は結果として従うことになるが、在日朝鮮人も最後にはそのアメリカに捨てられる。

stay alive

危なかった!? 安倍晋三の天皇家乗っ取り計画はこうして回避されていた！

安倍晋三は、もともとは李氏朝鮮の李垠（イウン）と梨本宮の方子（まさこ）の間に出来た安倍（李）晋太郎の子で、李氏朝鮮の血と天皇家の血を持つことから、戦前、日本政府が長男の李晋（安倍晋太郎）を病死と偽り、半島からの暗殺者を避けるため、山口県の名家の安倍家に実子にするよう頭を下げて押し付けた末裔だ。

ところが、自分が産んだ子ではないどこの誰ともわからない赤ん坊を押し付けられた静子は、数カ月後、安倍寛と離婚している。

その情報を「ＧＨＱ（連合国最高司令官総司令部）」が嗅ぎつけ、アメリカの傀儡の自民党総理候補として、Ａ級戦犯だった岸（李）信介の一族を「アメリカ大使館（極東ＣＩＡ本部）」が育てていく。

ほとんどの日本人は、安倍（李）晋三が「統一教会」の宣伝塔とは信じないし、地元の山口県では昔から殿様と崇められてきた。

安倍（李）晋三は、「アメリカ大使館（極東ＣＩＡ本部）」が現・上皇に押し付けた李氏の秋篠宮に天皇家を任せ、自分は圧倒的多数を占める自民党の力で法を改正し、永久総理大臣として、実質的な日本の「王」として君臨するつもりでいた。

その計画は、現・上皇の「生前譲位」で覆されたが、さらに「アメリカ大使館（極東ＣＩＡ本部）」と結託して、現・天皇徳仁（なるひと）陛下をボーイング機に乗せ、韓国新政権の国賓として送り出した後、墜落事故死させる計画だった。が、その前に起きた「ウクライナ侵攻」で御破算になり、あれよあれよという間に自分が暗殺されてしまう。

日本人のほとんどは短絡的に安倍（李）晋三を、韓国と北朝鮮と闘った総理と信じているが、実態は真逆で、韓国の「統一教会」の文鮮明と同じ半島系の血を引く。その李氏朝鮮の王族である安倍を、青瓦台の両班（リャンバン）が貶めた。江原道（カンウォンド）平昌の「韓国自生植物園」の従軍慰安婦像の前で土下座する安倍の像として置かれたのである。このことに逆上し、それまでの好韓から嫌韓へと変わっただけである。

さらなる日本人の勘違いは、安倍（李）晋三が男系天皇最優先で女性天皇・女系天皇に反対していたと思い込んでいることだ。アルコール依存症の秋篠宮と東京の「アメリカ大使館（極東ＣＩＡ本部）」が用意した次期天皇の小室（金）圭より、国民に圧倒的人気の「愛子内親王」へ皇位が流れないようにしたかっただけで、「女系宮家設立」も海の王子を臨時天皇にするため、眞子を皇族復帰させねばならないからだ。

軍備増強や核シェアリングを標榜して日本を守ろうとした安倍（李）晋三の死に涙したネトウヨも多いが、その実態は「アメリカ大使館（極東ＣＩＡ本部）」とともにビル・ゲイツ製母型遺伝子操作溶液で日本人を駆逐した後、海底金鉱床、海底レアメタル鉱床、国立&国定公園の膨大な金鉱床が無限にある日本列島を、アメリカに進呈、ハワイ州と併合して、自分が「グレートリセット（Great Reset）」した「新世界秩序（New World Order）」で高い地位を得るためだ。

そのためには軍備を増強して日本を中国に奪われないようにせねばならず、それには「憲法第9条」を廃止しなければならない理屈となる。

その証拠が、2023年2月13日の「衆院予算委員会」で問題になっている、回顧録『安倍晋三回顧録』（中央公論新社）にある以下の記述である。

「国が滅びても、財政規律が保たれていれば満足なんです」

日本憲政史上最長の8年8カ月にわたり、内政、外交を支配した李氏朝鮮の王の「証言」の意味は、「日本人などどうなってもよく、アメリカに譲り渡す日本人の全資産、国土、資源さえ無事なら米日併合に支障はないと考える」と言っているのだ!!

当然、国会の席では『安倍晋三回顧録』のパネルを使った野党攻勢が炸裂、自民党政権の鈴木俊一財務相は、「今となって安倍氏の心を推察することはなかなか限界があり、はっきりわからない」とし「責任ある財政運営は財務省の一つの使命だ」と素っ頓狂な最後っ屁でトンズラした。

が、2023～2024年は死屍累々たる日本人の死骸の山が列島中に築かれるため、在日系自民党と創価学会・公明党はアメリカに頼んで海外逃亡を準備しておく方が無難だろう（許可されるかどうかまでは責任を持てないが）。

自民党と公明党は、日本人全てにビル・ゲイツ製母型ゲノム溶液を接種をさせるため、幼児も死なない風邪程度に過ぎない新型コロナを「オオカミ少年効果」で数億倍に増幅、アメリカの同盟国イギリスの豪華客船「ダイヤモンド・プリンセス号」の似非パンデミック劇場で日本中を騙した。

結果として、2023年2月14日時点で、1回目接種が1億464万8863人（日本国民81・3パーセント）、2回目接種が1億328万6007人、3回目接種が8590万7011人、4回目接種が5762万5154人、5回目接種が2941万9605人で、かつて「ファイザー」系の研究施設で開発部門の責任者だった薬理学者マイケル・イードンは、「一度でも接種した者は人生を全うできません」と暴露、接種後3年で多くが死亡する世界が日本で展開する!!

アメリカは、この現実が世界中で証明される前に、「ウクライナ」でロシアに戦術核兵器を使わせ、そのまま「第三次世界大戦」をヨーロッパで起せばワクチン死は誤魔化せるし、「新世界秩序（New World Order）」を推し進めるイギリスのロスチャイルドと、アメリカのロックフェラーにとって、フランスやドイツを中核とする邪魔な勢力のEUを世界地図から消すことができる。

彼らは日本と中国も一緒に消す気でおり、2023年から沖縄県の「嘉手納基地」からアメリカの「F－15Cイーグル戦闘機」を順次撤退、海兵隊5000人がハワイへ、残り4000人もグアム、アメリカ本土へと移転を開始、中国が「台湾侵攻」と同時に、日本に向け「多弾頭核ミサイル」の先制攻撃をやりやすいよう動き始めた!!

コリアJAPANから「米日合併」へ！　日本人の全資産、日本国の無尽蔵の全資源は、全てアメリカ政府に渡る!!

日本人のほとんどは平和ボケといわれるが、戦後生まれの団塊の世代は、「日本が賢いのは防衛をアメリカに任せたからで、その間、経済に打ち込めた結果『ジャパン・アズ・ナンバーワン』(エズラ・ヴォーゲル著）になれた!!」と胸を張り、「日本は戦争に負けたが経済で勝った!!」とまで言い切った。

一方、政治家や経済学者も、「日本は食糧を外国から調達し、日本製品を海外へ売れば経済大国として効率的だ!!」と主張し始めた。

バブル全盛の頃は、東京の山手線内の土地代でアメリカ全土を買えた日本は、調子に乗ってロックフェラーセンタービルにまで手を出した直後、「アメリカ大使館（極東ＣＩＡ本部）」の回し者だった三重野康が日銀総裁になるや強権を発揮、公定歩合を一気に3度も引き上げて日本経済を破壊した。

在日が支配するＴＶやマスゴミはその三重野を〝平成の鬼平〟と讃えたが、この男がやったことは高速道路を全速で疾走中の日本という大型トラックに急ブレーキを3度もかけて完全に引っ繰り返したことだ。

バブルはいつか弾けるというが、「ソフトランディング」の方法はいくつもある中、破壊を目的とする「ハードランディング」を選んだ三重野は、「アメリカ大使館（極東ＣＩＡ本部）」の庇護のもとで満足して一生を全うした。

イギリスやアメリカの「投機型自由経済」は、日本型の「手帳型経営計画」「同族経営」に全く歯が立たず、半導体市場も日本に追いつけないため、「バブル崩壊」で日本企業を破産寸前に追い込み、松下幸之助の「社員優先」から欧米式の「株主優先」に一気に切り替えさせた。

結果、リストラが最先端の欧米式と洗脳された経営陣は、多くの技術者の首を斬り、中国、韓国、台湾に日本の最先端技術が流れてしまった。

これをやってのけたのが在日の小泉（朴）純一郎と似非経済学者の竹中平蔵で、全てを欧米式に切り替え日本経済の中核（町工場や中流層）を破壊、弱体化させることに成功する。

ロスチャイルドが支配する「国際金融ピラミッド構造」に唯一加わらなかった「郵便貯金」の牙城を、朴（小泉）内閣の「郵政民営化」で破壊し、開放したのが「貯蓄量230兆円のゆうちょ」と、「資産120兆円」である。それを口を開けて待っていたのがアメリカの禿鷹ファンドだった。

その後も、鎧（よろい）をなくした「簡保」に外資が一斉に襲い掛かり、民営化として在日朝鮮人が大量に送り込まれた結果、多くの老人が騙される「簡保詐欺」が行われる羽目に陥った。

第一、アメリカでは郵便事業は「国営」のまま保護され、朴純一郎がやったような「民営化」など許しておらず、朴により消滅した貯金総額は2021年度で457億円、民営化後の累計で約2000億円にのぼる。

「いやいや、私の郵便貯金はそのままですし、なくなっていませんけど」と言うのはド素人で、預金額維持に膨大な国民の税金が使われているのだ。

「ゆうちょマネー」だけで220兆円が既に消え去り、満期から約20年が過ぎた「定額貯金」など、〝貯金者〟が権利を失った郵政民営化前の郵便貯金が、2021年度に457億円と過去最高額に上り、最終的に日本人が「遺伝子操作ゲノム溶液」接種でほとんどが死亡、さらに中国の「多弾頭核ミサイル」で駆逐された後は、自民党政府の懐から、在日自民党による「米日併合」によって、全てアメリカ政府に渡る仕組みになっている!!

もちろん、それすら序の口で、海外に置いてある大企業の天文学的日本資産もアメリカに渡り、逝ってしまった日本人の総資産も全てアメリカが頂戴し、国土も無限に埋蔵されている金鉱床やレアメタルの海底資産も全てアメリカが頂戴する。

だから、李氏朝鮮の安倍（李）晋三の『安倍晋三回顧録』（中央公論新社）にある「国（日本人）が滅びても、財政規律が保たれていれば満足なんです」となるわけだが、野党すらこの仕組みに気づいていない。

そんな「アベノミクス」を日本経済再生の唯一の手段と信じる日本人は勘違いしており、〝外交の安倍〟というのは所詮は「国民の金を外国にばら撒いただけ」で、トランプと仲がいいのも、アメリカと李氏朝鮮による「コリアＪＡＰＡＮ」がいずれアメリカと併合するからだ。

合体先は「ハワイ州」と決まっており、ロックフェラーは「コリアＪＡＰＡＮ」をアメリカと合体させることで、環太平洋の完全支配を目論んでいる。

つまり、既に日本は中国軍が攻め込まなくても、ロスチャイルドとロックフェラーから見たら詰んでおり、安倍（李）晋三を偉人として国葬し、韓流ドラマとK－POPに踊り狂う日本人は、既に1億人以上が総ぼんくら状態でゲノム溶液を接種、接種したら大丈夫なはずがマスクをしつづける阿呆らしさに「お前はとっくに死んでいる」のである!!

なぜか⁉ ナチス軍のモスクワ侵攻時に戦車に付けられたバルケンクロイツのマークが、今、ドイツ供与の戦車「レオパルト2」にも付けられている!!

2023年1月18日、ロシアのプーチン大統領が「サンクトペテルブルク（旧レニングラード）」を訪問し、80周年を迎える「レニングラード包囲解放記念式典」に出席した。

「第二次世界大戦」下は、ヒトラーとスターリンが交わした「独ソ不可侵条約」をヒトラーが一方的に破棄、ナチス第6軍が破竹の勢いで「レニングラード」に電撃侵攻した。

ロシアを舐めていたヒトラーは第6軍に越冬用の準備をさせず、「レニングラード」を包囲したものの、ロシア軍の抵抗が予想を超えて強く、「レニングラード」の攻略に手間取るうち、冬将軍が訪れドイツ軍は瞬く間に疲弊していった。

プーチン大統領は、その激戦の地に到着後、集団墓地に建てられた「ルベージヌィの石碑」で献花を行い、その後、「レニングラード包囲戦」で亡くなったプーチンの兄も眠る「ピスカリョフスコエ墓地」を訪れ、記念碑の「母なる祖国」の前と、集団墓地で献花を行った。

最終的に、ナチスドイツはロシア南部の都市「ボルゴグラード（旧スターリングラード）」で、ロシア軍戦車「T－34（テー・トリーッツァチ・チトゥーリィ）」に、砲弾不足とガス欠もあり、次々と打ち負かされる中、凄まじい極寒と飢餓で瞬く間に駆逐され、15万人のドイツ兵が戦死、11万人が捕虜となってシベリアに送られ、６００0人しかドイツに戻れなかった。

一方のロシア軍も50万人の戦死者を出したが、「ボルゴグラード（旧スターリングラード）」でナチスドイツの侵攻を止め、そこからの反攻作戦でドイツの首都「ベルリン」を陥落させる。

２０２３年2月2日、その「ボルゴグラード（旧スターリングラード）」で、プーチン大統領はある意味で歴史的な演説を行っている。

「我々はいま再び、新しい顔を持つナチズム（ドイツ）のイデオロギーによって脅かされている。我々はまたしてもウクライナでヒトラーの後継者たちから攻撃を受け、ロシアは再びドイツの戦車（レオパルト2）に脅かされようとしている!!」

さらに、プーチン大統領は、ドイツが「レオパルト2A6型戦闘戦車」14両をウクライナに供与することを述べ、さらに「レオパルト2」を保有するポーランドをはじめとするNATO諸国が、このドイツ製の戦車をウクライナに送ることを承認したと伝えた。

そして最後に、「俄かに信じがたいことに、我々（ロシア）は再びドイツ戦車の脅威を受けようとしており、しかもその戦車は側面に十字のマークを付けている」と語った。

第2次世界大戦中にナチスドイツの戦車には、黒の十字に白の縁を付けたマーク（バルケンクロイツ＝棒十字）が描かれ、今のドイツ連邦軍も「レオパルト2」「ゲパルト対空戦車」「マルダー装甲歩兵戦闘車」の側面に黒十字が描かれている。

プーチン大統領が、ウクライナがナチズム化していると述べるように、ウクライナ軍の精鋭部隊の戦車には、側面に白い十字章が描かれており、ナチスドイツ第6軍の戦車の側面にも白十字が描かれていた。

stay alive

中国の「偵察スパイ気球」は核兵器カプセルも搭載可能⁉ 新たなる軍事局面に突入か⁉

アメリカの「ニューヨーク・タイムズ」紙（2023年2月16日付）は、高度1万8000メートルの高高度を飛行中だった中国人民解放軍の「偵察スパイ気球」が、アラスカ州、カナダを経てアメリカの領空を侵犯しつづけ、2月4日に「F－22ラプター戦闘機」が発射した「AIM－9Xサイドワインダー」によってサウスカロライナ州沖の大西洋で撃ち落とされたと伝えた。

撃墜された中国の「偵察スパイ気球」を調査中のアメリカ軍最高司令官の発表では、気球は直系60メートルほどの大きさで、ジェット旅客機並みの積載能力があったという。

さらに、中国の「偵察スパイ気球」は、アメリカ軍の「グアム基地」「ハワイ基地」を監視するようにプロペラ飛行していた形跡があり、捕獲された場合には自爆する

「爆薬」を積んでいたが、ミサイル攻撃のショックで作動しなかったという。

その後もアメリカ軍が撃ち落としたいくつかの気球は、マチュア無線の愛好家グループが上げた「気象観測用気球」の可能性が高く、実際、アメリカ・イリノイ州を拠点とする「北部イリノイ・ボトルキャップ・バルーン・ブリッジ（ＮＩＢＢＢ）」は、２０２３年２月15日に「Ｋ９ＹＯ－15」と名付けられた気象観測用気球がアメリカ・アラスカ州で行方不明になったと報告している。

その気球は薄い金属製気球「Ｋ９ＹＯ－15」（価格12ドル：約１６００円）で、２０２２年10月10日にイリノイ州から上げられ、２０２３年２月11日、高度１万２０００メートルで消息を絶っているため、こういう民間気球も今回の撃墜気球に含まれているはずで、特に金属気球については〝エイリアンのもの〟という噂は事実ではない。

一方、アメリカ軍が撃墜した中国人民解放軍の「偵察用スパイ気球」からセンサーなど重要な電子機器が次々と発見され、ＦＢＩも含む政府による徹底調査がされる中、「ワシントン・ポスト」紙は「アメリカは、中国の偵察スパイ気球を海南島からの発射時から追跡していた」と報道、気球は中国南部の海南島から上げられ、その直後からアメリカが１週間にわたって気球を追跡していたとした。

となると、追跡は間違いなく「ＮＯＲＡＤ／North American Aerospace Defense

Command（北アメリカ航空宇宙防衛司令部）」が行ったはずである。この機関は、コロラド州コロラドスプリングズのロッキー山脈の地下から、24時間体制で人工衛星の状況観測、地球上の核ミサイル・弾道ミサイルの発射警戒、戦略爆撃機の動向監視を行っている。

海南島は中国のハワイと呼ばれる九州ほどの広さのリゾートだが、南シナ海全体を見据える巨大な中国の海軍基地があり、中国空軍基地もあるため、軍事用気球発射基地があっても全くおかしくない。

案の定、アメリカの「ミドルベリー国際研究所（Middlebury Institute of International Studies at Monterey）」は「Google Earth」を使った調査から、気球発射用の「円形発射台」、発射をコントロールする「発射支援棟」、巨大な気球を折りたたんで保管する「格納庫」、上げた気球の方向や気象を観測する3基の大小様々な「レーダードーム」を発見した。

ロイター通信はアメリカ政府当局者の話として、気球は、最初は東へ向かって、アメリカ軍のグアム基地、ハワイ基地を通るはずが、強い偏西風の影響を受け、北に進路が変わったままアメリカ本土上空に入り、「ＩＣＢＭ発射基地」「爆撃機運用基地」「核ミサイル配備施設」「アメリカ空軍基地」「ステルス爆撃機運用基地」「アメリカ原子力施設」上空を通り抜けた後、アメリカ空軍に撃墜されたとしている。

2月6日、中国の駐フランス大使盧沙野は、「アメリカ軍が領海上空で撃墜した気球は中国のものであり、アメリカは気球の残骸を中国に返還すべきだ!!」と、フランスのニュースチャンネル「LCI」のインタビューで主張、「路上で拾いものをし、持ち主がわかったら、持ち主に返すべきだ!!」とも述べ、「アメリカが返還しないなら、それはアメリカの不正直さを行動で示したことになる!!」と挑発した。

その後も中国政府は撃ち落とされた気球は〝民間〟の気候調査用と主張したが、その民間企業の名を明かすことなく、代わりに中国外務省の汪文斌副報道局長は「この問題について何度も事情を説明した。だからアメリカは過剰に反応すべきではない!!」と釘を刺したが、アメリカは黙殺した。

この軍事用気球を上げた部隊は、2015年に習近平が偵察とサイバー攻撃専用に立ち上げた「戦略支援部隊」とされ、事実、中国の軍の機関紙「解放軍報」が発行した戦略書に「中国の気球戦略」があり、「テクノロジーの進歩が気球の新たな扉を開いた。気球を成層圏（高度1万～5万メートル）まで飛ばすことができるようになり、それで一部の攻撃から逃れることができる」とし、最新鋭戦闘機でも成層圏での撃墜は難しいと主張している。

さらに「滞空時間が非常に長い気球は、深海深く潜む潜水艦のような恐ろしい暗殺者になるだろう!!」と結んだ以上、アメリカ本土攻撃に使用するテスト飛行をしていたことになる。

中国軍の軍事衛星の数は400強、それに対するアメリカの軍事衛星の数は250と圧倒しており、それを補うための「気球戦略」ともとれるが、アメリカが主張しているように、ジェット旅客機に搭載する重量をぶら下げられる以上、核兵器のカプセルを吊るして高高度で爆発させれば、核ミサイルが着弾するより遥かに広い範囲にあるコンピュータと半導体を持つ軍事兵器を一瞬にして破壊し動けなくできる。

今度再び日本上空に中国軍の気球が現れたら、果たして日本には何ができるだろうか？

高度2万メートルの中国気球に対応か!?「やまぐち空中発射プロジェクト」による気球からの小型ロケット発射実験

突然、降って湧いたような「気球騒動」だったが、アメリカは2017年から海南島で建設中だった中国共産党の偵察&サイバー攻撃専門の「戦略支援部隊」による気球発射基地建設に気づいており、軍事衛星で監視してきた。

２０２３年2月16日、アメリカが撃ち落とした推進装置（プロペラ）付き気球を、中国共産党の「偵察スパイ気球」と断定した後、自民党政府も防衛相を介して、２０１９年11月に鹿児島県で、２０２０年6月に宮城県で、２０２１年9月に青森県上空で確認された謎の気球を、「中国が飛行させた無人偵察用気球であると強く推定される」として発表した。

まるでアメリカという虎の威を借りる狐だが、案の定、弱腰の自民党の足元を見た中国外務省は、２０２３年2月15日、汪文斌副報道局長が「日本（自民党政府）は確固たる証拠がないのに中国の顔に泥を塗った。それに対して中国は断固として反対する!!」と激怒し、中国メディア「深圳衛視」も「日本はこれを良い機会とばかりに、煽り立てる陣営に加わった!!」と自民党の小心ぶりを小馬鹿にした。

日本の国会でも、当時、防衛大臣だった自民党の河野太郎の、「気球に聞いてください」発言が無責任極まりないと追及される羽目に陥ることになる。

河野（当時）防衛大臣は、「どこに行ったかは定かではございませんが、自衛隊の気象班が保有しているものではないということは確認しております」と答え、日本に戻ってくる可能性は？　の質問に、「気球に聞いてください」と放り投げ、日本の安全保障に影響を与えるものではないのかの質問にも、「安全保障に影響はございません」と無視した。

それについて、後に野党の追及を受けた河野デジタル大臣は、「防衛省、自衛隊が様々分析する内容について、これは対外的にはお答えできないもの。記者会見で『お答えを差し控えます』ということもあったと思いますが、それも何ですから『気球に聞いてください』」としたと自己正当化し、その後の外務大臣当時の問題についての追及に、12回も「所管外でございます」と「記憶にございません」の新旧バージョンで徹底的に放り投げた。

が、最大の問題点は、鹿児島県、宮城県、青森県のいずれも、在日米軍基地と駐屯地が存在する地域で、自衛隊基地にとっても最重要地点だったことだ。

これらから推測できることは一つしかない……２０１７年から海南島の軍事気球基地から上げられる「偵察スパイ気球」を監視してきた「ＮＯＲＡＤ／North American Aerospace Defense Command（北アメリカ航空宇宙防衛司令部）」は、習近平が２０１５年に立ち上げた「戦略支援部隊」の動きを監視するため、日本政府に気球を見逃せと命令していた可能性が極めて高いことだ。

終戦直後から、岸（李）信介をはじめ在日系が支配する自民党が、アメリカの傀儡（かいらい）であることは常識で、霞が関の官僚組織を含めアメリカに忠誠を誓う在日シンジケートが日本を支配し、アメリカの命令で動くようになっている。

結果、河野デジタル大臣は「気球に聞いてください」と誤魔化したのだろう。

が、河野デジタル大臣に一切同情できないのは、その発言自体がアメリカの犬であり、この男が総理大臣になったら日本人のアメリカ奴隷化はさらに加速する。

ここからが本題だが、日本の航空自衛隊には高度1万8000メートルまで上昇できる第5世代戦闘機「F－22ラプター」は存在せず、最新鋭ステルス戦闘機「F－35ライトニングII」でも最高高度1万2000メートルとされ、中国の「偵察スパイ気球」までまだ6000メートル足らない。

仮に中国共産党が高度2万メートルを超える軍事気球を上げたら、「F－22ラプター」でさえ撃ち落とせないかもしれない。

が、日本のマスコミがほとんど報道しないことがあり、それが2020年に山口県で国内初の小型ロケット空中発射システム実証実験が行われた出来事だ。

正式名称「成層圏気球用姿勢制御装置の動作実証」が気球を使って行われていたのである!!

stay alive ㉗　高度２万メートルの中国気球に対応か!?「やまぐち空中発射プロジェクト」による気球からの小型ロケット発射実験

２０２０年7月、山口県で行われた気球からの小型ロケットの空中発射システムの実証試験を「やまぐち空中発射プロジェクト」が実施、高高度の成層圏まで上昇した気球からロケットを空中発射するシステムの検討が、「千葉工業大学・惑星探査研究センター」の和田浩二副所長らのグループで行われていたのだ。

「やまぐち空中発射プロジェクト」は、山口県内の半導体&ロボット製造、金属加工メーカーなど複数の企業と大学で構成する組織で、ロケットを気球で高高度の成層圏まで運び、成層圏からロケットを発射することで燃料を抑え、低コストで宇宙空間に衛星を運ぶことを目指していた。

２０２２年末、衛星軌道投入ロケットを開発する「ＡｓｔｒｏＸ」を、世界初の方位角制御を行う気球から空中発射することに成功していた。

一方、同じ山口県山陽小野田市に、宇宙作戦隊の創設に伴う「宇宙状況監視レーダー」の設置などの防衛を主体とする「宇宙自衛隊（国防軍）」レーダー施設があり、アメリカの10センチ級の監視能力を持つとされる。

それと、成層圏から高速度推進装置を付けた気球から発射できるロケットを、自衛隊の空対空迎撃ミサイル「99式空対空誘導弾（ＡＡＭ－４）」「04式空対空誘導弾（ＡＡＭ－５）」と入れ替えれば、高度2万メートルの中国軍の気球を迎撃できる可能性が出てくる。

この両方が山口県で行われているのは偶然ではなく、将来的に官民協力体制が計画される匂いがする。

stay alive

プーチンの戦争は100％正当なもの！　東西ドイツ統一でも約束されたNATO拡大を一方的に破りつづけるアメリカ!!

今の日本人ほど「大衆操作：マインドコントロール」に対して無力で脆弱（ぜいじゃく）な国民は他にない。

その最大の原因は、終戦後、アメリカの戦略でＴＶなどマスコミの上層部を半島系が支配し、霞が関の国家官僚も半島系が上層部を支配、国会も半島系が「統一教会」と一体支配する自民党が、北朝鮮系の創価学会・公明党と手を組み、アメリカと結託しながら日本人をステルス支配しているからである!!

これをゲームの「オセロ」にたとえれば、四隅を取られた状態に近いが、唯一、天皇という片隅だけが無事なのは、そこが岡本天明の『日月神示』でいう最後の〝一厘〟だからで、そこが無事なら、最後の最後で今の体制はグレンと引っ繰り返ることになる。

とはいえ、預言を全く信じない人々には無意味な話だが、歴史的事実として「プーチン大統領が100パーセント正しい!!」ことが証明できるのである!!

と、そんなことを言うと、「お前は馬鹿か」「歴史をもう一度学び直してこい」「ウクライナを侵略したのはロシアだろう」「ウクライナの人たちに申し訳ないと思わないのか」との罵声と罵詈雑言が四方八方から飛んできそうだが、それが東京の「アメリカ大使館（極東CIA本部）」に洗脳されている証拠なのである。

つまり、もう一度言うが「プーチンの戦争」は歴史的に100パーセント正しいのである!!

その前に、なぜ、プーチン大統領がウクライナがナチス化したと言うのかの大前提に触れねばならない。

これには「第二次世界大戦」のヒトラーまでさかのぼる必要はなく、むしろ、その後の「東西冷戦」下の「ベルリンの壁」が大きく関わっている。

1989年11月10日、東西ドイツ分断の象徴だった「ベルリンの壁」が崩壊、1990年8月31日、東ベルリンで「東西ドイツ統一条約」に調印が行われ、9月20日、

「西ドイツ連邦議会」と「東ドイツ人民議会」が賛成3分の2で条約を承認し、6カ国が条約に署名して10月3日に東西ドイツの統一が成立した。

その日、ベルリンの「ブランデンブルク門」の前で、数万人が見守る中、歴史的なドイツ統一式典が行われたが、この歴史的出来事には、合意に至る旧ソ連とアメリカとNATOの正式な約束があったことを、西側陣営が今も黙殺している。

この東西ドイツ統一に向けた協議で最も重要な問題は、統一後のドイツが「NATO」に加入しないことだった!!

当時、旧ソ連で、「ペレストロイカ（改革）」と「グラスノスチ（情報公開）」を掲げていたミハイル・ゴルバチョフとの間で、統一ドイツの問題が徹底的に話し合われ、1990年1月、西ドイツのハンスディートリヒ・ゲンシャー外相が、「ドイツ統合のプロセスは、旧ソ連の安全保障を毀損（きそん）するものであってはならない。NATOは東方に拡大して旧ソ連との国境に近づくべきではなく、現在の東ドイツにあたる地域にNATO軍を配備しない!!」と述べている。

アメリカのジョージ・ハーバート・ウォーカー・ブッシュ（父）政権も、「旧ソ連がドイツの統一を認めるなら、我々はNATOを東に拡大させない!!」とゴルバチョフ大統領に確約していた。

1990年2月9日、ゴルバチョフとアメリカのジェイムズ・ベイカー国務長官との会談が行われたが、その2日前にベイカー国務長官は、エドアルド・シェワルナゼ外相と会談し、「もしかすると、この話し合いで、東ドイツにNATO軍を配備しない保証がなされるかもしれません。いや、実際、それは禁止されるはずです!!」と言い切った。

それは過去のドイツが「第一次世界大戦」から「第二次世界大戦」を起こし、再び暴走しないよう、監視役にアメリカ軍が残ることを意味し、ベイカー国務長官は手書きのメモに「NATOの管轄権は東側に動かない!!」と書いている。

その後のベイカー国務長官とゴルバチョフ大統領の会談で、ベイカーは「NATOは1インチも動かさない!!」と保証、翌2月10日、西ドイツのヘルムート・コール首相がゴルバチョフと会談し、「我々はNATOの活動領域を拡大すべきではないと考える!!」と述べ、ゴルバチョフから「NATOが東に向けて拡大しない限り、統一後のドイツのNATO加入に基本合意する」言葉を引き出している。

ところが、イギリスが関わった6カ国協議で成文化された条約の内容に、「現在の東ドイツにあたる地域にはNATO軍を配備しない」はあっても、「NATOは東方に拡大して旧ソ連との国境に近づくことはない」が完全に省かれていたのだ!!

同年5月31日、ワシントンで行われたブッシュ(父)大統領とゴルバチョフ大統領のサミットで、ブッシュ(父)大統領は「ドイツのNATO加入は、決して旧ソ連に対する牽制ではありません。私を信じて下さい。我々はドイツの統合を無理に推し進めているのではなく、我々には旧ソ連を全ての面で害を与える意図はなく、そんな真似は微塵(みじん)も考えていません!!」と騙している。

この時、ロスチャイルド支配のイギリスと、ロックフェラー支配のアメリカは、「新自由主義」のもとで「NATOは軍事的な側面を減らし、政治的な同盟とする方向に変える!!」とし、イギリスのマーガレット・サッチャーは、同年6月8日、ロンドンでゴルバチョフ大統領と会談した際、「私たちはヨーロッパの未来に関する会合に旧ソ連に全面的に入ってもらうつもりで、旧ソ連の安全保障を確信できる方法を見つましょう」と述べた。

この時、CIAのロバート・ゲイツ長官は、「ゴルバチョフがNATOの東方拡大はないと信じ込まされている間に、裏で彼らはそれを推し進めていた!!」と暴露している。

そんな中、1988~1991年でソビエトが内部分裂を起こし、1991年12月24日、ロシアのエリツィン大統領が、「安全保障理事会」をはじめとする国連機関での旧ソ連の地位を、「ロシア連邦」が引き継いだことを、ハビエル・ペレス・デ・クエヤル国連事務総長に伝え、旧ソ連は事実上この世から消滅した。

それを好機と見た欧米は、火事場泥棒よろしく、１９９９年、突然、東ヨーロッパの民主化運動を盾にＮＡＴＯ拡大を開始、「新冷戦時代」に突入し、そのままロシアと国境を接するウクライナまで至り、ウラジーミル・プーチン大統領の激しい怒りを買って始まったのが２０１４年2月20日の「クリミア侵攻」であり、２０２２年2月24日の「ウクライナ侵攻」だった!!

stay alive ㉙ イルミナティ【後期】の謀略をすれすれで乗り超えて進む天皇陛下と神一厘の仕組み！

「ウクライナ侵攻」「台湾有事」を〝地ノ目〟とし、〝鳥ノ目〟で見た場合、全く別の世界が見えてくる。

二枚舌外交のロスチャイルドのイギリスと、フェイクで世界を支配するアメリカのロックフェラーは、「パワーブローカー（Power Broker）」として主催する「パワーゲーム（power game)」のテーブルに、ロシアを利用する「第三次世界大戦」と、その数年後に起こす「ハルマゲドン（世界最終戦争)」のカードを置いている。

彼ら「超リッチスタン（Hyper-Richistan)」は、下僕のイギリス政府とアメリカ政府を駒にしながら、「パワーゲーム（power game)」をコントロールし、最後に選ばれた者だけが生き残る〝真・世界〟の「新世界秩序（New World Order)」の札を切ってくる!!

そのためには「グレートリセット（Great-Reset)」が不可欠で、膨大な数の役立たずの人間を地上から一掃し、自分たち「超リッチスタン（Hyper-Richistan)」の選ばれた存在（超エリート層）による〝超・世界〟を構築する。

必要のない80億人の人間から、政治、医療、科学、軍、銀行、宗教界から5億人だけを選ぶため、その世界に生き残りたい個人、一族、団体、組織は、「イルミナティ【後期】／Illuminati（Late-day)」に忠誠を誓っている。

２０３０年は、地球環境が壊滅する分岐点とし、ビル・ゲイツは地球を救う目的で、75億の人間を消し去る聖戦「ジェノサイド（genocide)」を計画、ゲノムで設計した「遺伝子操作溶液」で確実に殺す「ホロコースト（Holocaust)」を決行する。

既に、イギリスとアメリカは、「ＡＩ／人工知能（artificial intelligence)」、「ロボテック・テクノロジー／robotech technology（ロボット技術）」、「バイオテクノロジー(biotechnology)」の三本柱が完成の域に達し、ヒトを全く必要としないＡＩ管理の「真・世界」で、労働者を必要としないロボテック技術の中、ゲノムの遺伝子操作と組み換えで永遠に生きることができ、ロスチャイルドとロックフェラーの一族と超エリート層だけが永久に生きるパラダイスが到来する!!

「イルミナティ【後期】／Illuminati（Late-day）」は、遺伝子操作で寿命を獲得でき、ヒトの進化を一気に加速させれば〝神〟になれ、その域へ導く真の神「バアル（ルシフェル）」を「第三神殿」で召喚する。

彼らの神「バアル」は宇宙的存在の「エンティティ」で、超エネルギー体で肉体を持つ段階を超越している存在だ!!

それにはエルサレムに直下型大地震を起こさねばならず、その地震でイスラム教の聖地「岩のドーム」を倒壊させ、アシュケナジー系ユダヤに「第三神殿」を建設させるため、トルコやシリアを含む中東全域に、新たな「エリア52」から地震兵器「ＨＡＡＲＰ」を使い大地震を次々と起こしていく。

それが「グレートリセット（Great-Reset)」の入口となる!!

かくして、彼らロスチャイルドとロックフェラーの聖なる祖、ハム系カナン人の王

「ニムロド（Nimrod）」が望んだ、絶対神ヤハウェが増やした人間をなくす超弩級完成形で、75億人をビル・ゲイツ製母型の「遺伝子操作ゲノム溶液」の接種で地上から消し去る瞬間が訪れる。

「神はノアと彼の息子たちを祝福して言われた。『産めよ、増えよ、地に満ちよ。』」（『旧約聖書』「創世記」第9章1節）

欧米の白人の「キリスト教宗教指導者」は、己自身と家族、宗教組織を守るため、次々と「パワーブローカー（Power Broker）」の軍門に下る中、唯一、セム（黄色人種）系アブラハムの遺伝子（YAP＋）を持つ、直系「ヤ・ゥマト（ヤハウェの民のヘブライ語）」で「神道」の長である天皇陛下をなんとかする必要がある。

東京の「アメリカ大使館（極東CIA本部）」による何度かの陛下暗殺は全て失敗に終わり、2017年7月6日、「遺伝子操作ゲノム溶液」を打ったはずの「赤坂御所（東宮御所）」の病院には、零下70度以下に冷やす冷凍庫はなかった。

さらに、「東京コリアンピック」「パラコリピック」の名誉総裁だった陛下は、7月23日の開会式に訪れる世界中のVIP（無観客開催となった）を迎えるには、3週間空けの2回目接種がない状態となり、この非礼極まる事態から陛下の接種がないことが判明、東京の「アメリカ大使館（極東CIA本部）」の目を潜り抜けている。

2021年5月10日、韓国の新大統領の尹錫悦（ユンソンニョル）の就任式に、「日韓未来志向」の象徴として、陛下を国賓として半島に迎える途中、政府専用機「ボーイング777-300ER」機を軍事衛星からのコントロールで落とすはずが、同年2月24日のロシアによる「ウクライナ侵攻」で計画自体が頓挫する。

2022年9月19日、エリザベス女王の「国葬」でも、陛下が搭乗する政府専用機「ボーイング777-300ER」機だけを、専用機としてアメリカと一心同体のイギリス政府が許可（他の王族やVIPは民間機だった）したのも、帰りに海上で落とすはずだったが、とんでもないものが出現してアメリカの謀略が水泡に帰している。

結果として、戻りの時間が大幅に遅れたものの陛下は無事に帰国されている。

stay alive ㉚ ニムロドの直系がロスチャイルド、傍系がロックフェラー、セムの直系ヤ・ゥマトの日本民族は不倶戴天の宿敵となる！

再び〝鳥瞰図〟で「ウクライナ侵攻」と「台湾有事」を別角度から見てみよう。

『聖書外典』の「エズラ書」に、ヤ・ゥマトの祖であるセムが、カナン人の目に余る悪行に対峙した記述がある。

バアル（光を運ぶ者：ルシフェル）の巨大な牛の像を崇拝し、ヤ・ゥマトの子供たちを捕らえて火炙りで生贄に捧げた後、神官たちを食っていたニムロドをセムが追い詰めて殺し、その死体をバラバラにしたことが記されている!!

そのニムロドの直系がロスチャイルドで、その傍系がロックフェラーのため、セムの直系である大和民族は彼らの不倶戴天の敵となり、特に絶対神ヤハウェ（須佐之男命）を拝するアロン直系の八咫烏と、イエス・キリスト（天照大神＝天照国照彦）を拝するモーセ直系の天皇（南朝系）だけは、何があっても抹殺せねばならず、自分たちへの最終兵器となる「ユダヤ三種神器（マナの壺＝八尺瓊勾玉　アロンの杖＝草薙剣　十戒石板＝八咫鏡）」と「契約の聖櫃アーク＝本神輿」は何があっても奪わねばならない。

なぜならセムは絶対神の神殿（神宮）である「天幕（社）」の〝鍵〟が託されているからで、白人（ヤフェト系）のキリスト教は世界支配と制覇のため、その恩恵を受けるに過ぎない。

そもそもヤフェトに二つもノアから鍵が与えられておらず、一時は保有しても、最後の天皇陛下が立った令和に、セムの直系に返さねばならない!!

「セムの神、主をたたえよ。カナンはセムの奴隷となれ。神がヤフェトの土地を広げ（ヤフェト）セムの天幕に住まわせ、カナンはその奴隷となれ。」（『旧約聖書』「創世記」第9章26～27節）

２０２３年から、世界中で阿鼻叫喚の悲惨なカオス状態に陥るため、ロスチャイルドのイギリス（リシ・スナク首相）と、ロックフェラーのアメリカ（ジョー・バイデン大統領）は、アシュケナジー系ユダヤ（ウォロディミル・ゼレンスキー大統領）と足並みを揃えていく。

アシュケナジー系ユダヤの〝イスラエル建設〟と同じ図式で、「ウクライナ」を最大限に利用しながら、世界に向けて滅びの「苦ヨモギ」に捲き込むと同時に、その背後からゲノムで作り出した猛毒の「遅延死溶液」を接種させていくのだ。

このことから、表の「苦ヨモギ」は「核兵器」の放射能だが、裏の「苦ヨモギ」はビル・ゲイツ製母型の「遺伝子操作ゲノム溶液」となる。

「第三の天使がラッパを吹いた。すると、松明のように燃えている大きな星が、天から落ちて来て、川という川の三分の一と、その水源の上に落ちた。この星の名は「苦よもぎ」といい、水の三分の一が苦よもぎのように苦くなって、そのために多くの人

が死んだ。」（『新約聖書』「ヨハネの黙示録」第8章10～11節）

「三分の一」の裏は「三分の二」を意味し、大和民族の預言書『聖書』は明確な対比（数値）で示している!!

「この地のどこでもこうなる、と主は言われる。三分の二は死に絶え、三分の一が残る。この三分の一をわたしは火に入れ銀を精錬するように精錬し金を試すように試す。彼がわが名を呼べば、わたしは彼に答え『彼こそわたしの民』と言い彼は、『主こそわたしの神』と答えるであろう。」（『旧約聖書』「ゼカリア書」第13章8～9節）

この「三分の一」と「三分の二」の違いは、「ゼカリア書」にある「彼こそわたしの民」から、ある特定の民族、つまり大和（ヤ・ウマト）民族に限定したもので、日本人の接種死亡率〝3分の2〟がこの預言から判明する!!

アメリカ、イギリス、ビル・ゲイツ、自民党、創価学会・公明党に騙されなかった非接種者のみが生き残り、モーセの民のように洗練された民族となる「蘇民将来」が成就する!!

そうなったら最後、どの国も民族も大和民族に勝つことは「ユダヤのレガリア」が出てくるため、完全に不可能となる!!

世界は本音ではロスチャイルドのイギリス、ロックフェラーのアメリカの影響力から離れたがっている！

EUを「ブレグジット（脱退／Brexit）」したロスチャイルドのイギリスと、数字の不正操作でトランプに勝った老害バイデンが指導するロックフェラーのアメリカに、ロシアに対して引けた尻を蹴飛ばされたEUのNATOは、イギリス主導でウクライナへの武器援助に引き込まれ、次もイギリス主導で戦車供与に引きずり込まれ、さらにイギリス主導で巡航ミサイル、そして戦闘機を送らねばならなくなる。

これは世界をロスチャイルドとロックフェラーで支配するための「ニューワールドオーダー／New World Order（新世界秩序）」への「グレートリセット（Great Reset）」として、ドル圏のアメリカに逆らいユーロ圏を構築したフランス、ドイツ、イタリア、スペイン等のEUをロシアと同士討ちで地上から消し去るためである。

ＥＣから発展したＥＵは、「第一次世界大戦」「第二次世界大戦」と、ヨーロッパの同盟と条約絡みで大戦争を起こした歴史があり、今回もまんまと同じ仕掛けでロスチャイルドとロックフェラーにやられるのである……。

ＥＵは、イギリスとアメリカ主導でプーチンを「戦争犯罪人」に仕立てるため、オランダ・ハーグの「ＩＣＣ（国際刑事裁判所）」に、ロシア軍がウクライナで行った戦争犯罪と人道に対する罪の捜査を開始させた。

アメリカのバイデン大統領はプーチン大統領への誹謗中傷をやめないが、自分はオバマ政権下の副大統領の時、イラクとアフガニスタンだけでも、ドローンによる民間人殺害は女や子供を含め64〜１１６人に達し、パキスタン、イエメン、アフリカでも多くの女や子供をドローンで爆殺している。

バイデンの副大統領当時、民間人を巻き添えに、戦闘機や戦闘爆撃機から落とした爆弾の総数も驚異的で、２０１５年だけで2万３１４４発、２０１６年は2万６１７1発で、発表された国以外への爆弾数はカウントされていないことから、バイデン大統領がプーチン大統領を「人道の罪」「戦争犯罪人」で裁く権利などどこにもない。

２０２３年2月23日、「ウクライナ侵攻」から1年を迎え、ニューヨークの国連本部の緊急特別総会の「ウクライナの平和と原則関連決議案」は、ロシアに無条件かつ即時撤退を求める決議案で、賛成141票、反対7票、棄権32票で可決したが、これも数字のトリックで、地球上で巨大な面積を占める中国やインドは棄権、アジア、アフリカ、中南米諸国はイギリスとアメリカに賛成しなかった。

ロスチャイルドとロックフェラーは、「ウクライナ侵攻」を〝プーチン個人が起こした戦争〟と世界に思い込ませたいようだが、昔、イギリスに植民地にされ、アメリカに手酷く裏切られた経験を持つインドは、英米コンビを信用する気はなく、中国はイギリスに麻薬のアヘンをばら撒かれて国土を奪われ、「朝鮮戦争」でマッカーサーに中国全土を核兵器数十発を落とされる寸前だったことを忘れていない。

さらに、アメリカの足元の中南米も、アメリカでもないのに「南アメリカ」と呼ばれ、アメリカ人から「アメリカス」と呼ばれる不愉快さに加え、アメリカ資本による石油、鉱物、食糧強奪の歴史を持つ以上、日本のように能天気にアメリカに盲従する愚行は犯さない。

当然、これら地球のほとんどの面積を占める国々は、イギリスとアメリカ、世界の富の全てを奪い尽くす「アメリカ型資本主義」を額面通りに信用する気はなく、むしろロシアを支持・間接支持している。

イギリスとアメリカは、旧ソ連最後のゴルバチョフ政権を、二枚舌外交のイギリスが主導で騙し、ブッシュ政権とクリントン政権が黙認、1999年にイギリスとアメリカに導かれるようにNATOがロシア国境に向かって拡大を始めている。

ロシアは約束を守って東ヨーロッパから旧ソ連軍を引き揚げ、「ワルシャワ条約機構」も解散したが、1991年12月に旧ソ連が崩壊した後、イギリスとアメリカは火事場泥棒よろしくロシアの寝首をかくようにウクライナの政権をCIAによって引っ繰り返した。

結果、プーチン大統領が選ばれ「新冷戦時代」に突入、2002年、ブッシュJr.政権により「ABM条約（弾道ミサイル迎撃ミサイルを制限する条約）」から脱退、2019年、トランプ政権が「INF全廃条約（中距離核戦力全廃条約）」から一方的に脱退、その後、ポーランドとルーマニアに「弾道ミサイル迎撃ミサイル発射システム」を配備した。

このアメリカの発射システムは、表向き迎撃システムを装っているが、モスクワを標的とする「中距離弾道ミサイル」の発射が可能で、むしろそれがロスチャイルドとロックフェラーの目的で、ポーランドかルーマニアから核弾道ミサイルが発射されれば、モスクワに7～8分で着弾する!!

プーチン大統領の強い抗議をNATOは黙殺、逆にNATOは毎年リトアニアや黒海のルーマニア沖などロシアの国境地帯で実弾発射演習と上陸演習を行っているが、これはロシアを挑発し、それに対応したロシアを攻めるデモンストレーションである。

これらは「地政学」で言う「ハートランド（Heartland）」で、ユーラシア大陸の心臓部を支配する国が世界を制覇する理論に、ロスチャイルドのイギリスと、ロックフェラーのアメリカに唆(そそのか)されたＮＡＴＯが乗ったことを意味する。

具体的に言えば、ユーラシア大陸の心臓部を支配する国こそ、海軍の攻撃も受け得ない聖域となり、そこを押さえれば〝世界制覇〟が可能となる理論で、「モンゴル帝国」「オスマン帝国」も然りで、ナチスドイツが東欧に侵攻した後、ロシアを侵略したのも、世界の覇権を握ろうとしたからで、「ハートランド理論」にピッタリ当てはまる。

これが世界史であり、パワーバランスの国際社会の常識だが、にもかかわらず日本人はロスチャイルドとロックフェラーを支持、「ウクライナ頑張れ」と応援する姿のあまりの馬鹿さ加減にウンザリする。

多くの情報が得られる「令和」では無知＝罪であり、遅延死の「遺伝子操作ゲノムワクチン」を自ら打ちに行き、１億人以上が日本から消えてなくなるのも当然の結果となる!!

stay alive

ディープステートはニムロドのカナン人とアシュケナジー系ユダヤの合体したもの！　ロシアのウクライナ侵攻がなかったら、起きていたこととは⁉

「ニューワールドオーダー（新世界秩序）」で世界人口を80億人から奴隷の5億人まで激減させようとしているのが、イギリスとアメリカで、このコンビで創られた国が今のイスラエルである。

イギリスとアメリカは「巨大国際金融ピラミッド構造」を絶対支配するロスチャイルドと、基軸通貨のドルで世界を牛耳るロックフェラーが支配する国で、既に世界はこの二大超弩級財閥に支配されている。

念のために言うが、彼らにとって国家は利用するためにのみ存在するだけで、裏に別個として「DS（ディープステート）」が存在する。

彼らの祖は、ハム系のカナン人の王ニムロドで、絶対神ヤハウェの民「ヤ・ゥマト（大和）」の祖のセムに逆らい、世界に人間を拡大させないよう「バベルの塔」を築き、光を運ぶ者（ルシフェル）を拝する「バアル」の喰人の儀式を行ったため、預言者でサレムの王だったセムに打ち殺されバラバラにされる。

ニムロドの一族は、その恨みをいまだに忘れず、神とその創造物の世界に対して復讐を誓っている。

彼らは黒人系（クシュ）の一族だが、モーセに率いられたヤ・ゥマトに温情をかけられ、イスラエルの地に住むことが許された後、ヤ・ゥマトの側女となって子を産み、やがて獅子身中の虫となってヤ・ゥマトを堕落させるようになる。

ヤ・ゥマトに入り込んだ娘たちは、やがてヤ・ゥマトに「バアル」を信仰させ、ソロモン王の死を境にイスラエルを南北に分裂させ、「北イスラエル王国」はアッシリアに、「南ユダ王国」はバビロニアに侵略され、捕囚として連れていかれる。

バビロニア滅亡後、カナンの地に戻ったヤ・ゥマトのところへ救世主が現れた時、既に宗教組織「サンヘドリン」の上層部を乗っ取り、救世主を磔刑で殺すよう煽り立て、最後はローマに戦いを挑ませイスラエルを亡ぼしてしまう。

ニムロドの子孫たちは、イスラエル滅亡前に隣国の「ハザール汗国」へ逃亡、自らをヤ・ゥマトと名乗り、北のビザンチンの『旧約聖書』『新約聖書』を信じる「キリスト教」と、南の『旧約聖書』を信じる「イスラム教」のウマイア朝に挟まれ、どちらに従っても片方から滅ぼされるため、『旧約聖書』の「ユダヤ教」に改宗し、結果として大量の白人のアシュケナジー系ユダヤを創り出した。

その時から、ニムロドのカナン人とアシュケナジー系ヤダヤが一体化し、今のウクライナでは、ロックフェラーの指示でCIAがアシュケナジー系ユダヤの芸人ゼレンスキーを送り込み、映画の力で国民を洗脳し、ロシア寄りだったペトロ・ポロシェンコ政権を引っ繰り返した。

今のイスラエル独立に膨大な資金を与えたのがロスチャイルドで、「第二次世界大戦」で世界最大の覇権国となったロックフェラーのアメリカの後押しで、アシュケナジー系ユダヤの「イスラエル」が建国された。

2022年2月24日、ロシアによる「ウクライナ侵攻」がなかったら、「エリア52」にニコラ・テスラの「世界システム」をベースにした大型地震&気象兵器システム「HAARP」で、エルサレム直下地震が発生、今頃は天皇暗殺で合法的に日本から略奪した「ユダヤの三種の神器」と「契約の箱」を置く「第三神殿」が建設されていた。

ハム系だったカナン人のニムロドの子孫たちは、「ハザール汗国」の白人と次々と同化し、婚姻を結んで白人化したため、「ハザール汗国」が滅亡した時、彼らとともに東ヨーロッパへ移動、偽のアシュケナジー系ユダヤとなってロスチャイルドが誕生、全ヨーロッパの資金と銀行を支配する組織を樹立する。

ロスチャイルドとカトリック教徒の移住を嫌う新大陸アメリカに、ロスチャイルドはドイツ系と偽って傍系のロックフェラーを送り込み、ヨーロッパから潤沢な資金を与えてアメリカの「石油」を支配させ、同族のモルガンらとともにアメリカの超巨大財閥組織「インタレスト・グループ（interest group）」を構築させる。

やがてロックフェラー一族はウォール街を支配、アメリカの中央銀行「FRB／Federal Reserve System（連邦準備制度）」も自分の持ち物としたロックフェラーは、世界の基軸通貨ドルを好きなだけ刷れ、一方のイギリスではロスチャイルドの一族が「イングランド銀行」でポンド札を刷りながら、「国際銀行システム」と「国際為替市場」を支配していった。

stay alive ㉝ 免疫系が破壊!? 接種のたびに死が近づく!! 最後は異常プリオン蛋白質で脳が溶ける!? 生き残る道を探せ!!

現在、世界の資産のほとんどを富裕層の「リッチスタン（Richistan）」が支配する一極集中型資本主義になったため、日本を含む世界中の中流層が消滅しつつあり、90パーセント以上の人々が貧困となり、「資本主義」「新自由主義」「アメリカ型グローバル資本主義」がついに行き詰まった。

さらに「デジタル通貨」「暗号資産」が登場し、今まで絶対的な「基軸通貨」だったドル札支配体制も終焉に近づき、世界中で「アジア共通通貨圏」「アフリカ共通通貨圏」「南アメリカ共通通貨圏」「ロシア共通通貨圏」に分かれる結果、追い詰められた彼らが、旧システムを国や民族ごと消滅させる暴挙が「グレートリセット（Great Reset）」である!!

既にロスチャイルドは「イルミナティ【後期】／Illuminati（Late-day）」を構築しており、後にロックフェラーも参入、彼ら超弩級富裕一族は国家という狭い枠内に所属しておらず、その概念もなく、故に彼らはアメリカ人やイギリス人がどうなっても一向にかまわない。

そもそも「パワーブローカー（Power Broker）」にはほとんどの人間を生かしておく気はなく、アシュケナジー系ユダヤも皆殺しで、大和民族を支配するためマッカーサーが利用した在日朝鮮民族も生かしておく気はなく、世界中のどんな政治家も国も残す気は全くない。

なぜなら、ビル・ゲイツ製母型の「遺伝子操作ゲノム溶液」を世界中の人間が既に接種しており、これからの数年でほとんどが地上から消え去るからである!!

特にヤ・ウマトは、赤ん坊も全て殺す必要があり、在日が「統一教会」と支配する自民党が、アメリカ型の「CDC／Centers for Disease Control and Prevention（疾病予防管理センター）」を東京の「アメリカ大使館（極東CIA本部）」の指示で日本に設置、「モデルナ」の巨大工場も日本に設置する。

さらに「健康保険証」と「運転免許証」を手始めに国民総背番号制の「マイナンバーカード」に統合し、そこに保険証を介してゲノム遅延死溶液接種記録も登録、それを自民党の圧倒的議席数で、抵抗する非接種者を〝準テロリスト〟に指定、膨大な額の罰金も取り、それに逆らえば前科をつけて刑務所送りにする。

支持率がマイナスの岸田政権でも、自民党の圧倒的議席数でそれを押し切ることができ、後は岸田一人に責任を負わせればいいだけと「アメリカ大使館（極東CIA本部）」は踏んでいる!!

にもかかわらず、ロスチャイルドのイギリスと、ロックフェラーのアメリカと、アシュケナジー系ユダヤのゼレンスキーが演じる「ウクライナ劇場」に、多くの日本人が見入っている。そして背後からビル・ゲイツによって次々と殺されていく……。

そこで次にNHKの「世界のワクチン接種状況」のデータ（2023年3月5日時点）を見てみよう。

すると、【ワクチンを少なくとも1回接種した人（累計）】では、中国が13億1029万2000人、インドが10億2737万6761人、アメリカが2億6955万4116人、インドネシアが2億3655万7535人、ブラジルが1億8939万3744人、パキスタンが1億6221万9717人、バングラデシュが1億5119万373人、そして日本が1億467万538人である。

現在ウクライナ侵攻中のロシアが8834万9836人、韓国は4483万4340人だが、【世界のワクチン接種回数（100人当たり）】では日本はダントツの308・31回（100人当たり平均3回以上）で、韓国は250・21回（100人当たり平均2・5回）、中国は244・84回（100人当たり平均2・4回以上）、アメリカは202・43回（100人当たり平均2回）、インドは155・69回（100人当たり平均1・5回以上）、ロシアは128・32回（100人当たり平均1・2回以上）である。

【ワクチンを少なくとも1回接種した人（割合）】では、中国が91・89パーセント、日本が84・44パーセント、韓国が86・53パーセント、アメリカが81・19パーセント、ロシアが61・05パーセント、インドが72・49パーセントで、日本人の接種者が全人口1億2550万2000人（2021年10月）中、1億597万3888人が死亡することになる。

死亡原因は、免疫系が破壊されるため「基礎疾患」が急激に悪化、「癌」も一気に進んで死亡、さらに異常な血餅（けっぺい）チューブ構造ができて「脳梗塞（のうこうそく）」「心筋梗塞」「肺梗塞」「くも膜下出血」「大動脈破裂」と続き、たとえ数年は生存しても、異常プリオン蛋白質で脳が溶ける「クロイツフェルト・ヤコブ病」で悶絶死する。

当然、接種のたびに死が近づくが、日本では2回目接種者の数が1億332万3892人（80・3パーセント）、3回目接種が8611万998人（68・4パーセント）で、mRNA溶液の「ファイザー」「モデルナ」、ウイルスベクターの「アストラゼネカ」「ジョンソン&ジョンソン」、組み換え蛋白の「ノバックス」の接種者は、ゲノムの遺伝子組み換え&操作で異常プリオン蛋白質で脳が溶け死亡する。

一方、従来型の不活化ワクチンの中国製「シノバック・バイオテック」「シノファーム」「カンシノ・バイオロジクス」、ロシア製の「スプートニクV」「スプートニク・ライト」「エピワクコロナ」のどれを接種したかで生存率が変わる。

最近、ロシアの従来型ペプチドワクチンの「エピワクコロナ」、同じく従来型の不活化ワクチンの「コビワク」が、国内事情を理由に生産中止となり、途中からロシアではマスクを外してワクチン接種に走る者もほとんどいなくなった。

欧米では、コロナワクチン接種者が、藁(わら)を摑む気持ちで飲み始めたのが「イベルメクチン」で、「COVID－19」には有効でも、ゲノムの遺伝子操作溶液には果たして有効か否かは不明である。

非接種者がこれからも生き残るには、中国による日本総攻撃より、アメリカのロックフェラーと在日支配の自民党、その自民党に協力する「統一教会」「創価学会」と闘わねばならない。

stay alive

なぜ潰れないのか⁉ 超赤字国家中国の国ぐるみ粉飾決算の秘密！

中国は歴史上最大規模の超赤字国家だが、いまだに国家倒産しない理由は、中国共産党が史上最大規模の〝粉飾決算〟をやりつづけているからに他ならない。

ザックリ言えば、「元紙幣」を刷りまくる中、国家台帳の数字を都合よく書き直しているからである。

これを〝粉飾決算〟というが、中国はそれを国家ぐるみでやっており、なぜそれが可能かというと共産党による一党独裁体制だからで、銀行まで国の所有と言っても過言ではない。

もしこれが西側諸国であれば、「銀行」が台帳の数字合わせと現実の数の違いで〝粉飾決算〟がわかり、ただちに「銀行」は「貸し付け融資」の回収を開始、最悪の場合は「一括回収」した上、「損害賠償」を請求し、酷い場合は「刑事告発」することになる。

中規模の粉飾でも「新規融資」を停止の上、訴訟も起こされるため、〝粉飾〟を行った企業は社会的信用をなくし、立ち直れないと倒産する。

〝粉飾〟で水増しした金額が利益に占める割合と、〝粉飾〟により借り入れた金額が巨大な場合、大きい分だけ「銀行」がとる対抗措置は厳しいものになる。

中国による〝国家粉飾決算〟も基本は同じで、一番よくある方法が「架空売上」による「黒字体制」によるＧＤＰの維持で、仮に中国が１００兆円の赤字に陥った場合、共産党政府が架空黒字を２００兆円に計上、すると１００兆円の国家黒字となるが、架空利益のために真の利益は回収されておらず、売掛金残高が１００兆円となり、架空黒字の金額だけが大きくなる。

正常な「銀行」であれば、黒字残高が不自然に大きくないか否か、黒字と受取手形の合計を平均月次売上で割り、得られた数値回転期間（俗にいう売掛金）を分析し、受取手形の合計を平均月次売上で割って得られた数値を調査する。

黒字が１００兆円で年間売上が１２００兆円なら、月次の平均売上は１００兆円なので回転期間は１カ月となり、売上回収は１カ月かかるとなる。

が、〝粉飾〟していると売掛金の回転期間が回収条件から推定できる値より大きくなり、次々と売掛金残高を巨大化させる結果バレてしまうのが普通で、ギリシャはこれでバレてしまった。

２００９年10月、新民主主義党から全ギリシャ社会主義運動への政権交代の時、旧政権により財政赤字が隠蔽（いんぺい）されていたことが判明し、財政赤字がＧＤＰ比で５％とされたが、実際は12・７％と判明、さらに13・６％とわかって「ギリシャ危機」がＥＵ全体に拡大した。

一方、中国では「銀行」は中国共産党の支配下にあり、西側の常識がほとんど通用しない。

企業にせよ国家にせよ「粉飾決算」は〝麻薬〟と同じで、一度足を踏み込むとなかなか止められなくなるため、今の中国は自らに「アヘン戦争」を仕掛けている最中になる。

当然、国家が〝粉飾決算〟する以上、グローバルを打ち出す中国企業も〝粉飾〟が当たり前で、特に中国の伝統ともいえる悪習が「発票システム」で、1枚の「請求書」が「領収書」になったり「受領書」になったりするデタラメさで、国家ぐるみの不正の根幹になっている。

どういうことかというと、代金を払っていないのに払ったことにされるシステムを中国共産党が容認しており、相手がアメリカなら従うが、相手次第で使い分けるのだ。

さらに悪質なのが「魚転がし」「油転がし」のグルグル回しの〝架空循環取引〟で、設備投資の前倒しや、日付の書き換えなどは朝飯前で、日本で問題を起こす企業は中国企業が40パーセントを占めてダントツになっている。

今や世界第2位の経済大国を自負する中国は、国際社会ではいまだに「発展途上国」と言い張り、国際社会での負担を逃れつづける一方、国際機関を金で支配するのが常套手段になっている。

その裏では、日本を含む欧米各国から盗んだ最先端技術で軍事力を爆発的に増大させ、「一帯一路」では〝悪徳高利貸し〟よろしく、貧しい国に多額の資金援助をし、返せなくなったら娘（港・インフラ・土地）を頂戴するやり口を拡大している。

中国は共産党一党独裁体制の中で、都合の悪い数字は全て闇に葬りながら超巨大化している。

こんな巨大詐欺国家から「台湾」が侵略の危機にあり、「日本」が多弾頭ミサイルで核攻撃される可能性があるのは、ロスチャイルドのイギリスと、ロックフェラーのアメリカが支配する「国連」で、国家資格を剥奪された「台湾」と、敵国条項で世界中の敵の「日本」を、中国が攻撃してもかまわない状況にずっと置かれているためだ。

ロスチャイルドとロックフェラーが、ロシアに対して火の粉を撒く「ウクライナ」と同じ状況に、中国に対して「台湾」と「日本」が置かれているということだ。

詐欺・粉飾決算でも経済が回る⁉　軍備も拡張‼　中国は偽札を刷れば刷るほど豊かになる北朝鮮の巨大版⁉

1929年9月4日、アメリカの貪欲な「拝金主義」と、イギリスから端を発した「産業革命」による「物質至上主義」が行き着くところまで行き着いた瞬間、ウォール街で一気に株価が大暴落し、未曽有の「世界大恐慌」が勃発、日本を含む世界中へと拡大、イギリスのポンドとアメリカのドルの影響下にある国々で、深刻な経済不況と破綻が連鎖していった。

ところが、「資本主義体制」を取らなかった旧ソ連ではほとんどが無事で、輸出入産業は別にして、国内産業の多くは「共産主義体制」で守られ、カール・マルクスは「世界市場恐慌は、ブルジョア経済のあらゆる矛盾の現実的総括および強力的調整として理解されなければならない」としていた。

それと今の中国共産党による詐欺擬き(もどき)の「粉飾決算体制」は、２００８年９月の「リーマンショック」が起きてもＧＤＰは大幅成長し、「上海株」が大暴落しても６・９パーセントの成長を達成、「中国恒大集団」の経営危機を切っ掛けに、中国の不動産規制で「不動産バブル」が崩壊すると懸念されたが、中国は平気な顔で経済を維持して発展してきた。

こういうことは国家ぐるみで〝粉飾決算〟をしない限りは絶対にあり得ず、欧米の分析では中国国内の状況は最悪のはずで、相当なマイナス成長であるとする。

一方、中国の主張は昔から駄々っ子同然で、「中国経済が崩壊したら困るのは欧米経済の方だろう!!」「中国が消えたら10億以上の中国人がどこへ行くかわからないぞ!!」……だから何でも大目に見ろというのが中国のスタンスで、そう言いながら〝粉飾決算〟で軍事力を急拡大させ、2025年にアメリカを抜くと豪語するようになる。

それは「国連」から制裁される北朝鮮も同じで、豊富な資金（?）で次々と巨大ミサイルを開発、ものすごい頻度で撃っても経済破綻しないのは、「偽ドル」も然ることながら、ブラジルのルセフ大統領の国を挙げての粉飾決算疑惑と同じ、実は〝粉飾決算〟こそが経済成長の「鍵」という逆説的様相が見えてくる。

この手の〝粉飾決算〟を監視する「国際銀行資本体制」の頂点にスイスのバーゼルにある「BIS／Bank for International Settlements（国際決済銀行）」があり、その実質的オーナーが世界を牛耳りながら裏切るロスチャイルドである。

と、こうなってくると、ロスチャイルド側で貧しくなる一方の日本と、〝粉飾決算〟で経済発展する中国、あるいはロスチャイルドとロックフェラーの国際システムに片足しか置かないロシアが十分に経済を支えている。

一方、ロックフェラーが支配するアメリカの「アメリカ型民主主義」を掲げるバイデン大統領を支持して、集結したはずの日本やEU諸国の、生活苦に陥る有様が「ウクライナ侵攻」から慢性的に進行している。

そんな中、中国では「習近平体制」をどんな手を使っても維持するため、景気回復の「経済に関する5カ年計画」を打ち上げ、GDPを何が何でも高くしなければならず、そのためには人がいない巨大都市「鬼城（ゴーストタウン）」をいくつも建て、必然としてGDPが維持され、建設労働者も給料が貰える逆説資本主義の仕組みだ。

中国の「全人代」で成長率6・9パーセントは非常に巧妙な数字で、「国家統計局」が「成長率は6・9パーセントに下がったが、実質7パーセント前後と見ていい」と言うのは、政府の成長目標が7パーセントだからだ。

さらに、中国の「国家統計局」が出すGDP値の発表があり得ないほど早すぎ、日本では3カ月後、アメリカの2カ月後に対し、広大な面積で14億人の中国が、毎回半月の四半期ごとに集計が出せるはずがなく、どうせ〝粉飾〟なので数字はいい加減でいいのだろう。

習近平は、こんな詐欺同然の〝粉飾決算〟で、アメリカから口止め料の「ボーイング旅客機」を300機一気に注文することで、世界中に中国経済の信用をアピールでき、さらにそれで中国支持の国を増やしていけば、最終的に中国の勝利となる。

それはまるで偽札を大量に刷れば刷るほど豊かになる北朝鮮の巨大版を見る思いで、中国が崩壊する時は世界も巻き添えになる脅しは、「国際金融ピラミッド構造」が中流層の激減で崩壊寸前にあるロスチャイルドと、デジタル通貨の到来で、ドル札による「世界基軸通貨体制」を失うロックフェラーと、反転はしているが基本的に同じ思考である。

stay alive

経済崩壊寸前の中国は第一列島線制覇のため必ず日本との戦争を起こす!?

世界第2位の経済大国の中国が、誰憚（はばか）ることなく〝粉飾決算〟をしながら堂々と軍備を増強し、世界の覇権国を目指して経済を回す現実がある中で、アメリカをはじめ日本を含むEU各国のどこもそのことを指摘せず、非難もせず、制裁を加えることもしないという事実は、もはや英米を中心とする「国際ルール」が通用しない時代になった証拠といえる。

既に世界は、イギリスの「産業革命」と同時に始まった「資本主義」が、マルクスの「共産主義」と対立しながら加速し、イギリスのサッチャー首相の「新自由主義」で変貌を遂げ、さらにアメリカのレーガン大統領の「グローバリゼーション」で〝アメリカ型グローバルニズム〟が極みに達した今、「拝金主義」を掲げる「資本主義」の世界が終ろうとしている。

欧米の企業と繋がりが密になった中国が経済崩壊したら、その被害が複雑に絡み合ったアメリカとイギリス、さらにEU各国の企業に被害が至るとあれば、中国が極端に暴走しない限り、見て見ぬふりをしつづけるしかなかったといえる。

失われた30年の泥沼から抜け出せない日本を追い抜き、グローバル化の中で「世界の工場」として世界第2位に躍り出た中国は、「アメリカファースト」を掲げるトランプ政権の時に頭を抑え込まれ、続くバイデン政権でも中国封じが終わらなかった。

結果、中国は確実に経済が回らなくなり〝粉飾決算〟というアヘンに手を染め、習近平体制を維持しなければ中国共産党は成り立たなくなっていった。

要は赤字だらけの収支台帳の数字を消したり書き替えながら誤魔化すことだ。欧米相手の輸出入先に関して欧米側にも記録があるため、中国政府の「貿易統計」だけは誤魔化せないはずだったが、習近平は逆に文句があるならいつでも来いとばかりに居直っていく。

2022年8月の中国の輸出は前年同月比の5・5パーセント減で、輸入も13・8パーセント減の10カ月連続大幅減少したにもかかわらず、GDPがプラスというのは前例がなく、あり得ない異常経済理論で中国は動いている。

あの「リーマンショック」で輸入が激減した日本のGDPがマイナス5パーセントだったが、中国も同様かそれ以上に輸入が減っても、経済成長率がプラス9パーセントとは、もはや〝粉飾〟でしかあり得ない数値で、それを基盤に中国は軍事力増強ができているのは皮肉でしかない。

「粉飾決算体制」が常習化する中国でも、いつかは数字を誤魔化しきれない限界点に達し、一気に「バブル大崩壊」と「経済大失速」に陥ったら最後、日本のバブル崩壊と同じく中国も底無しの停滞期へと落ち込むだろう。

そうなると、習近平が目論む中国がアメリカを追い抜くことは永久になくなってしまう。

そこで習近平は、そうなる前に台湾の半導体製造企業「TSMC」を手に入れ、地政学的に中国に不可欠な太平洋に抜ける「第一列島線」をどうしても確保せざるを得ないのである。

そこで経済崩壊寸前の中国が打てる手は二つしかなく、一つは「ノルマンディー式侵攻」で、もう一つは「海上封鎖」である。

前者は「上陸用舟艇」と「揚陸艦」を今以上に建造し、圧倒的武力で「台湾」を制

中国の第一第二列島線を表した地図（右下方のライン）

圧する方法だが、当然、アメリカの「第七艦隊」や「第三艦隊」がやって来るし、日本の海上自衛隊も駆けつけてくる。

そこで中国は腹を括り、返す刀で日本の九州を戦術核ミサイルで火の海にして「第一列島線」を確保、続く第2弾で横浜を戦術核攻撃すれば、横須賀のアメリカ海軍は無事なまま残す中、「第二列島線」を準確保、国連条項にある戦犯国への中国の権利を遂行する。

その段階でニューギニアに至るには、「台湾侵攻」と同時に「グアム基地」を戦術核で攻撃せねばならず、同時に「ハワイ基地」も戦術核で破壊すれば、アメリカとの全面核戦争を余儀なくされる。

あるいは「アメリカ議会」は中国との全面核戦争を恐れ、「第七艦隊」「第三艦隊」の大半を失う羽目に陥る反撃作戦に出ない可能性もあるが、一か八かの賭けは中国には危険で、中国は「台湾」のみを落とすだけにとどまる可能性が高い。

それが「台湾海上封鎖」で、潜水艦を含む大艦隊で台湾を封鎖し、輸出入どころか食糧も台湾に入ってこさせなくする中、台湾本土ではなく台湾領の小島を全て制圧し、サイバー攻撃でインフラ施設をダウンさせ、同時に、台湾に通じる海底ケーブルを全て切断すれば台湾は世界から孤立する。

むしろこの方が簡単に台湾を手に入れることができ、アメリカ海軍も海上自衛隊も海上封鎖を破ってまで「米中核戦争」「日中戦争」を起こせない。が、これでは「第一列島線」制覇は不可能で、いずれは日本と戦わねばならなくなる。

stay alive

中国の膨張を抑える〝圧力釜の蓋〟日本列島から米軍が逃げ出す理由は!?

中国共産党が、アメリカの「第七艦隊」「第三艦隊」と対峙できる海軍力を急加速させた理由は、常習性のアヘンと化した国家経済詐欺の〝粉飾決算〟が崩壊する前に、アメリカの海軍力に追いつけば〝太平洋分割〟がなり、同時に急激に開発した核と核ミサイルの数がアメリカに追いつけば、地球の半分が中国共産党の支配下になるからだ。

その後、中国共産党が国連に代わって世界を完全支配、チャイナスタンダードで世界を統一し、特にアメリカの倍の核ミサイルを保持した段階で、世界は中国共産党の軍門に下る計画である。

1962年、JFKの時代のアメリカにとって共産化したキューバは〝喉元にある棘〟で、アメリカを攻撃できる旧ソ連の核ミサイル配備に対し、JFKはキューバ周辺を艦船で囲む「海上封鎖」を決行した。

台湾はその意味では中国を攻撃できないが、在日米軍基地がある日本は、中国共産党にとってまさにJFK時代のキューバと同じ〝喉元にある棘〟で、絶対に取り除くべき対象となる。

よく言われるように、日本列島は中国の膨張を抑える圧力釜の〝蓋〟にされ、これを一刻も早く破壊しなければ中国共産党の世界制覇は永久の夢で終わる。

その日本は、「国連」ではアメリカによる「敵国条項」維持で国際社会の敵のままのため、日本が1発の弾を中国人民解放軍に撃つだけで、常任理事国として一斉に核攻撃ができる。

アメリカ軍が日本から消えるこんな好機は二度とないため、2023年から習近平にとれば千載一遇のチャンスとなる。

それでも日本の自衛隊基地を瞬時に無力化させねばならず、そんな兵器は「戦術核兵器」しかなく、米軍の一大拠点であるグアムを攻撃できる射程4000キロの中距離弾道ミサイル「DF－26」の数は少なくとも200基、あるいは300基とされている。

「DF－26」は艦艇を攻撃できる命中精度があるため、地上目標に対する精密打撃能力とともに、レーダーや無人機の管制システム、指揮統制ネットワークなどの地上ユニットが、第一列島線から第二列島線内のどこにいても「DF－26」の攻撃に晒されるため、アメリカが第一撃（ファーストストライク）から逃げ出したのだ。

日本にとって憂慮すべきは、「DF－26」が〝核&非核両用〟のIRBMということで、人民解放軍のミサイル部隊は、既に「DF－26」を運用する旅団に核弾頭を素早く交換する訓練を実施している。

アメリカがトンズラした日本列島を戦術核で完膚なきまでに破壊した後、数百の人民解放軍の爆撃機で「太平洋戦争」「ベトナム戦争」でのアメリカ軍と同じ絨毯（じゅうたん）爆撃で徹底破壊すれば、自衛隊に反撃命令を出せる政治家も一掃されるため、中国はほとんど無傷で棘を抜くことができ、「第一列島線」を防波堤にして、反撃してくるアメリカ軍を迎え撃てばよくなる。

ここ10年で中国共産党が推し進めたのが、「中距離ミサイル戦力」「爆撃機戦力」「艦艇・船舶の建造能力」、そして「核戦力」だった。

さらに人民解放軍は射程１５００キロ以上の滑空型極超音速ミサイル「ＤＦ－17」も多数配備し、「南西諸島」を含む西日本の自衛隊基地と、日本が引き継ぐ在日米軍基地の大半が開戦と同時に無力化される。

何度も言うが、だからアメリカは日本から逃げ出すのであり、そもそも「統一教会」と在日支配の自民党が、安倍（李）晋三の祖父の岸（李）信介の頃から今まで日本人に信じ込ませた、〈アメリカが日本を守る〉は今や大嘘で、「日米安保条約（新安保も含む）」は絵に描いた餅と化した!!

にもかかわらず、図々しいアメリカは、自民党を介して、毎年「思いやり予算」を濡れ手に粟で奪い取り、２０２２年～２０２６年の総額は1兆５５１億円に達した。

さらにアメリカは、撤退するのを計算してだろう「普天間基地」の補修費を、過去の２０１３年からの8年分、約２５０億円を負担するよう自民党に要求、その上、グアム基地に移る在沖海兵隊の規模が縮小されるにもかかわらず、維持費を28億ドルから41億ドルに増やしていた。

さらにさらに、２０２３年、自民党政府は沖縄の海兵隊のグアム基地へのトンズラ費用として、追加で3億４０９０万ドル（約３６８億円）をアメリカに提供、さらにさらにさらに、移転に伴う米軍基地施設の追加提供など、総額3兆円を求めてきた。

なぜこんな真似ができるかは簡単で、マッカーサー以後、在日朝鮮人はアメリカの「ＷＧＩＰ（戦争罪悪感プログラム）」による「在日特権」「在日就職枠」「特別永住権」「通名制」の恩恵を溢れるほど受けつづけ、上級国民のほとんどが在日朝鮮民族のため、アメリカには絶大な恩があり、何でも言うことを聞くことで１億の日本人の上に君臨できたのである。

一方の日本人は完全な〝茹でガエル状態〟で、在日支配の自民党の命令には不満はあっても最後は何でも聞き従う労働力奴隷として扱いやすいのだ。

そして、この「コリアＪＡＰＡＮ」の構造は多民族国家の中国も共有している……。

stay alive ㊳

アメリカの日本への国家詐欺にも唯々諾々の在日自民党で中古ミサイルまで買わされ、黙りつづける国民に未来なし！

アメリカの「ペンタゴン（国防総省）」は、中国の核戦力を「陸：ＩＣＢＭ」「海：ＳＬＢＭ」「空：爆撃機」の三本柱とし、民間の大型輸送車、大型旅客機、大型フェリーも一夜で軍用になる〝軍民両用〟を特徴と見ている。

特に中国の商用船舶は非常に大型で、水陸両用強襲演習に参加するほどの能力を持ち、「台湾侵攻」の際は、人民解放軍の兵士を一気に運ぶことができ、中でも大型商用フェリー「渤海玛珠」は約3万3450トンもあり、排水量7万トンの「戦艦大和」の半分の規模だ。

中国の船も飛行機も車も全て軍用と見る方がよく、特に大型フェリーの総数約75万トン、コンテナ車両運搬船は約42・5万トンの計117万トンは、中国海軍が保有する「水陸両用揚陸艦艇」の総数37万トンの3倍以上で、日本の九州に上陸するとなると、これら大型商用船舶も一緒に突入してくる。

平時は北部戦区（黄海周辺）や南部戦区（海南島周辺）に近い海域で運行され、有事の際は、速やかに東部戦区に移動して「台湾侵攻」に当たる部隊を支援する。

アメリカが日本列島から逃げ出すのは、中国が最新型ICBM「DF－41」用のサイロを200カ所以上建設したことと、「DF－41」1基当たり最大10発の核弾頭を搭載できる「多弾頭ミサイル」であることだ。

この「DF－41」1基で日本の主要都市全てを地図から消すことが可能で、固定型サイロ発射システムは、ICBMとして先制攻撃に脆弱性が高いため、先制攻撃で破壊される前に事前発射してしまう誘因が働きやすく、一触即発の危機状況の中での安定性が極めて希薄になる。

それよりも問題は、既に中国は地球を周回する「極超音速滑空体」の実験に成功し、部分軌道爆撃システム「ＦＯＢＳ」と、ブーストグライド型の「極超音速滑空体」を組み合わせた「超音速ミサイル」を獲得しているとされ、アラスカに集中配備されているアメリカ本土防衛用ミサイル防衛システムを簡単に迂回してアメリカ本土を核攻撃できることだ。

既に中国は、「台湾侵攻」で「米中核戦争危機」がエスカレートしても、アメリカに反撃を思い止まらせる段階に入りつつあり、多弾頭核ミサイルの集中攻撃で日本殲滅は朝飯前となる。

結果、中国共産党はアメリカの核使用を抑止できる自信を強めており、結果として台湾を含む西太平洋地域における〝グレーゾーン〟や通常戦力の睨(にら)み合いが起きれば、リスクを厭(いと)わない行動を取る危険性が増している。

半島系の岸（李）信介以来、長年、国民を「アメリカが日本を防衛する」と洗脳してきた自民党は、岸信介の血筋の安倍（李）晋三内閣から菅内閣を経て岸田内閣へ、突然、中国脅威論で過去の大嘘を転化、正当化できるツールとして「国家安全保障戦略」「防衛計画の大綱」「中期防衛力整備計画」を国会で畳みかけ、圧倒的議席数で押し切ることになった。

その背後に「アメリカ大使館（極東ＣＩＡ本部）」がいて、「統一教会」「在日系国会議員（内２人は韓国籍）」が圧倒支配する自民党に、バイデン政権の「ＮＤＳ／National Defense Strategy（国家防衛戦略）」と「ＮＰＲ／Nuclear Posture Review（核態勢の見直し）」を中核とする、「アメリカ戦略文書」を上意下達で命令する構造だ。

２０２２年１月７日の段階で、在日系自民党は、「日米安全保障協議委員会：２＋２」で、日米両国は〝同盟としてのビジョンや優先事項の整合性を確保することを決意〟するとし、〝日本はミサイルの脅威に対抗するための能力を含め、国家の防衛に必要なあらゆる選択肢を検討する〟とバイデン政権に約束した。

台湾を国際的に〝国家〟と認めず中国に侵攻しやすい状態にし、日本を国連の「敵国条項」に置いたままにして、常任理事国の中国に核攻撃しやすい状態にしたアメリカは、２０１９年７月〜２０２２年３月まで、日本にアメリカ大使を派遣しなかった。

これにはいくつか憶測があるが、問題は今のスファラディー系ユダヤのラーム・エマニュエルが、その理由を聞かれた時、「いヽつヽでヽもヽアヽメヽリヽカヽはヽ日ヽ本ヽかヽらヽ大ヽ使ヽをヽ引ヽきヽ上ヽげヽるヽこヽとヽがヽでヽきヽるヽ!!」と笑みを浮かべたことである。

完全に日本には一級独立国の権利などどこにもないという態度で、このユダヤ系アメリカ人の脳裏には、１億以上の大和民族の存在など完全になく……もちろん、ほとんどがビル・ゲイツ製母型のゲノム溶液接種で死が確約されているからだろう。

ここにきて、在日が支配するＴＶ局の報道で、中国の日本核攻撃の危険性があることを初めて知った日本人は、在日系自民党によるアメリカからの兵器購入を承諾、日中の圧倒的ミサイル差を埋めることなど不可能にもかかわらず、アメリカから「トマホーク」５００発一括購入の総額１５００億円にも反対しない。

ところが、「トマホーク」は、中国やロシアではマッハ５（時速約６０００キロ）以上で飛ぶ「極超音速ミサイル」の時代、たった時速８８０キロのロートルで、アメリカは言い値で在庫を一掃できるとともに、日本に最大の義務を果たしたと言える国家詐欺そのものである。

stay alive

米国は人民解放軍が日本全土を攻撃しやすいように仕組んでいる!! だから台湾有事には本気で取り組め！

中国共産党の日本攻略の戦略は、誘導が可能な「中距離多弾頭ミサイル」と「極超音速滑空ミサイル」による集中攻撃で、日本の自衛隊の迎撃ミサイル「パトリオット：PAC－3」や「イージス艦」8隻の「イージス迎撃システム：AWS」程度では核防衛できない数を中国は同時に発射する。

それに対抗するには、日本は敵基地先制攻撃しかなく、中国人民軍のミサイル基地の「格納庫」「サイロ」「レーダー施設」「通信施設」「指揮統制システム」はもちろん、爆撃機や戦闘機に関わる「滑走路」「掩体壕（えんたいごう）」「弾薬庫」「燃料貯蔵庫」などの固定目標を破壊する戦略に舵を切らねばならないわけだが、それがマッハを超える超高速時代に、たった時速880キロの「トマホーク」500発では何かの冗談かと思えるが、明らかにアメリカの〝在庫処理〟で買わされたのだろう。

中国の台湾侵攻作戦で必ず使われるのが、「宇宙・サイバー・電磁波攻撃」だが、当然、日本攻撃にも畳み掛けてくるはずで、日本側の「情報システム」を破壊し、「早期警戒・ミサイル防空態勢」の妨害と弱体化を狙い、「多弾頭ミサイル」による防空態勢の物理的破壊達成を目指すことになる。

日本の「次期防衛大綱」と「中期防策定」にあたり、陸上自衛隊は「中距離弾道ミサイル部隊」を急遽編成し、ミサイルの長射程化を目指すとともに、巨大な破壊力を持つ通常弾頭搭載可能とし、中国に破壊されないよう配備地点の柔軟性を高めることになる。

今、日本が急いで開発中の射程2000～3000キロの「MRBM／Medium-Range Ballistic Missile（準中距離弾道ミサイル）」なら、ランチャーを発射台に九州に配備すれば、中国への先制攻撃が可能となる。

なぜ九州に配備かというと、中国沿岸から1000キロメートル以内にある人民解放軍の全ての航空基地を13分以内で攻撃できるからで、配備についても福岡県は「麻生王国」なので多少の反対運動も抑え込むことができるからだ。

それは同時に、中国の多弾頭核ミサイルの集中攻撃を受けることを意味し、戦争が始まると瞬く間に熱核反応で火達磨になることは間違いなく、特に福岡市は見せしめのために地図上から消える可能性がある。

一方、射程4000キロの「IRBM／Intermediate-Range Ballistic Missile（中距離弾道ミサイル）」なら、ランチャーを北海道演習場に配備しても、約20分で人民解放軍基地を先制攻撃を可能とする。

これはミサイル攻防戦のセオリーだが、2000キロ遠方から発射することで生じる7分差程度は、固定目標を攻撃する上ではほとんど問題にならない。

ただ、アメリカ軍が最初は日本に約束していた射程2800キロの「LRHW／

Long-Range Hypersonic Weapon（極超音速滑空ミサイル）」を、突然配備中止にしたことは完全な裏切り行為で、人民解放軍が日本全土を核攻撃しやすいよう仕組んでいるとしか思えない。

東京都市ヶ谷にある「防衛省」の前にある「日本戦略研究フォーラム（ＪＦＳＳ）」は、〝台湾有事は日本有事〟とした上で、「バーチャルからリアル危機へのシミュレーション」を行い、１９９５年の「第３次台湾海峡危機」を参考に事態の烈度と規模を変えた４種類のシナリオを作成した。

シミュレーション作成は、退官して間もない官僚、自衛隊の将官、現職国会議員によるもので、活発に議論を重ねた結果が以下の４種のシナリオだ。

其の１：グレーゾーン事態が長期間継続する事態
其の２：台湾全島が物理的かつ通信情報的に隔離される事態
其の３：中国が十分な準備を整えて全面的に武力侵攻する事態
其の４：アメリカを中心とする中台紛争の終戦工作が働く事態

結果として、最悪のケースは習近平による「台湾有事」だが、台湾が中国の手に落ちた場合、中国は世界の半導体生産の6割を一夜にして手にでき、世界経済を完全に支配できるばかりか、戦略核ミサイルを発射できる原子力潜水艦が、バシー海峡を自由に通航できるため、世界の戦略核バランスは大きく崩れ、日本の石油タンカーはマラッカ海峡を経て南シナ海を通るコースを航行できなくなる。

その一方で、先島諸島や南西諸島の広域国民保護、台湾からの邦人救出と輸送など、実効化措置が十分ではなく、日本最西端の島「与那国島（よなぐにじま）」はドラマ「Ｄｒ．コトー診療所」の撮影地として知られるが、２０１６年4月に「八重山列島」等の29地域を「有人国境離島地域」に特定され、「台湾有事」の際は最前線に立たされることになる。

台湾にいる邦人はもとより、中国本土には約１万３６００社の日系企業が進出、在住者約11万人の多くはビジネスマンと家族で、２０２３年からは日本の経済界は本気で「台湾有事」への覚悟と対策が緊急課題になるが、間違いなく手遅れになる。

「中国の攻撃は2027年もしくはそれよりかなり前」に起こると、アメリカインド太平洋軍司令官のジョン・アキリーノ海軍大将は言った!!

日本人は、頭を地面に入れて隠れていれば山火事は自然に通り過ぎるとどこかで思っているふしがある……それは戦後教育で培われた悪習で、「水と安全はタダ」が学校教育の基本とされ、日本はアメリカという用心棒を雇っているので、経済だけに専念すれば大丈夫と自民党に洗脳されてきた。

この洗脳は解かれることなく、団塊の世代は今もそう信じつづけて疑わない……いざとなればアメリカが何とかしてくれると!!

さらに自民党は国民にこう教えてきた……「日本は世界でも稀な女性で、アメリカという夫がそんな女性を手放すはずがない!!」と。

ところが、既にアメリカにはイギリスという妻がいて、日本とは愛人関係に過ぎず、都合が悪くなると簡単に捨てられる立場ということだ。

戦後、日本の男は自民党によって玉無しになり、今になって突然、日本人は自分の国を守る気概がないと豹変されても、悪いのはお前らだろうとなる。

が、それでも現実の方がどんどん押し寄せてくるわけで、例えば中国による「台湾侵攻」が起きたら、最低でも日本がどうなるかぐらいは考えておく必要がある。

中国の人民解放軍が「台湾」を手に入れたら、「第一列島線」の片方を握られたことを意味し、同時にそれが、尖閣から沖縄そして九州を含む日本の領海を人民解放軍がいつでも自由にでき、中国の艦船、潜水艦、航空機が日本の西方、南方、東方で日常的に活動できることを意味する。

これは海上封鎖に匹敵する出来事で、石油タンカーはマラッカ海峡も通れず、南シナ海への通過は許されないどころか、日本の海上輸送、航空輸送も航行を許可されず、インド洋から日本へのアクセスは全て封鎖され、日本は東アジアから孤立し、日本～インド洋～ペルシャ湾が直行できなくなり、その先のアクセスもＯＵＴになる。

アメリカインド太平洋軍司令官のジョン・アキリーノ海軍大将は、２０２２年3月、「アメリカ連邦議会・上院」で「中国の攻撃が２０２7年よりも前に、場合によってはそれよりもかなり前に起こる可能性がある」と警鐘を鳴らした。

それなら日本はどうするかだが、既に東京の「アメリカ大使館（極東ＣＩＡ本部）」は、ある方向へ日本を誘導している……基本は以下の6項目である。

1. 自衛隊から国防軍へ名を変え、軍であることを憲法に明記すること。
2. 今までのようなアメリカ軍への協力ではなく、アメリカ軍と完全に統合させること。
3. 防衛費は少なくとも向こう5年は毎年10パーセントずつ増大させること。
4. 徴兵制を開始するか、18歳から男女を国防軍に召集できるようにすること。
5. 中国との交易を極めて限定化し、特殊精密機械やハイテク技術等の輸出禁止品は一切輸出しないこと。
6. 事態が悪化する前に、邦人全てを中国本土から帰国させること。

中国の戦略的攻撃は何も核兵器の直撃とは限らない……海上封鎖した日本を台湾化で締め上げ、一気に兵糧攻めにすれば、実質的食糧自給率（カロリーベースではない方）は10パーセント以下の日本はすぐにお陀仏になる。

要は、中国が日本も台湾と同じ方法で占領すれば、日本独自の「半導体材料」「半導体製造装置」「工作機械」「計測機器」等の戦略的不可欠性を持つ技術はすぐに中国のものになり、半導体基盤の「シリコンウエハー」の「信越化学」「ＳＵＭＣＯ」の両社で世界シェア5割以上を中国が支配、ウエハーを切断する「ダイシングソー」で「ディスコ」の8割の世界シェアも中国共産党が支配できる。

安全保障は何も防衛と軍事力だけではなく、日本にいる在日中国人の数74万4000人以上(2022年6月末現在)はやはり圧倒的で、全てではないにせよ、中国人による都市部テロが頻発し、インフラ施設が破壊されることは容易に想像でき、東京の山手線や地下鉄網が爆破、大阪の環状線も無事では済まないだろう。

東京、大阪、名古屋、札幌、福岡で高速道路が全て爆破、新幹線も爆破され、今まで何の対策もしなかったつけを、一気に払わされる事態に追い込まれるだろう。

電気もガスも通じなくなり、そうなって初めて日本人は尻に火がついて右往左往することになる。

当然、アメリカ軍の「横須賀基地」「横田基地」も中国人のテロにより相当なダメージを受けるはずで、北朝鮮系の在日も中国と連動するため、日本は核攻撃を受けなくても全国で火の海になる。

ビル・ゲイツのゲノム溶液接種で1億人以上が死亡予定の日本を中国、在日、米国が奪い合う⁉

「尖閣諸島」の接続水域内に中国海警局の武装船（公船）が何日いようが、日本の漁船が追い掛け回されるのを海上保安庁が阻止しても、ほとんどの日本人は〝毎度の日常〟でおしまいだった。

これがもし戦前の日本で中国が同じ真似をしたら、有無を言わさず撃沈していたはずである!!

では、日本は何が変わったかというと、アメリカの占領政策による戦後教育が徹底され、〝戦争を罪悪とする〟理念がほぼ完全に植え付けられたことだ。

正確には「白人に対し二度と歯向かわない」「白人による国際支配体制に逆らわない」

だが、同時にアメリカは、戦後教育を通して以下の教育を日本人に徹底した。

「日本は植民地化に出遅れた分を取り返そうと、アジアを次々と侵略した」

「天皇を中心とする大東亜共栄圏を創るため、軍が政治を押さえて暴走した結果、日本は世界の敵となり焦土と化した」

結果、日本人の国防意識が極めて希薄となり、アメリカに支配してもらう方が楽と皆が思うようになった……。

これが植民地奴隷共通のマイナス思考で、日本人のアメリカへの奴隷根性が徹底されたのである。

だから「尖閣問題」における、一般の日本人の意識は「なぜアメリカが中国船を追い出そうとしないんだ？」「尖閣諸島にアメリカのオスプレイの基地を置けばいいだけだろう」といった他人ごとで、この程度の国防意識では盗人に対抗などできないだろう。

２０２２年2月、中国共産党は〝武器使用〟を含む中国海警局の軍事的役割を強化する「海警法」を施行、中国海警局は軍艦を改造した大型艦や、30ミリ機関砲を搭載する重武装船で尖閣へ進出し、海保は中国相手に数を上回る5～6隻体制で対応している。

さらに中国海軍の艦艇（軍艦）が尖閣諸島の北方１００キロ海域で常に待機し、事が起きたら一気に尖閣領海に乗り込む体制にあるが、自衛隊は何をしているかというと、海上自衛隊と航空自衛隊が「Ｐ３Ｃ哨戒機」を飛ばし中国海軍の動きを監視しているだけである。

それに対し、人民解放軍は「Ｓｕ－27」戦闘機を上海近郊の空軍基地から発進させ、「Ｐ３Ｃ哨戒機」に急接近行為で蹴散らそうとしている。

それに対し航空自衛隊は、高性能レーダーを搭載した警戒機の「ＡＷＡＣＳ」「Ｅ２Ｃ」を上空待機させ、那覇の空自第9航空団から2機の「Ｆ15戦闘機」がスクランブル発進し、海自機への接近を抑止している。

この状況を延々と毎日続けているのが尖閣諸島で、そんな日常で何が違うかというと、中国の動きが確実にエスカレートしていることである。

２００８年12月、突然、中国治安機関の公船が尖閣諸島の領海内に侵入、無断で10時間にわたり違法な海洋調査を行ったことを皮切りに、２０１０年9月、中国漁船が海保の巡視船に体当たりする事件が発生、民主党の菅（韓）政権が船長を解放する愚策を行った。

２０１４年10月、小笠原諸島と伊豆諸島周辺の日本の領海と排他的経済水域（ＥＥＺ）で、中国の漁船団２１２隻が押し寄せて赤サンゴを根こそぎ奪ったが、海上保安庁の巡視船の投入隻数が少ないため、領海から追い出すだけだったが、巡視船を大幅に増勢してからは4人の中国人を逮捕した。

この一連の騒動は、中国共産党による「第一列島線」「第二列島線」における日本の対応力を見るもので、大量の船舶を送り込めば日本は何もできないことが露呈した。以後、武力攻撃ギリギリでは日本の法律で有事でも平時でもない「グレーゾーン事態」となり、自民党政権下でも結局は解決案もなくズルズル状態が続くだけと見た中国は、人民解放軍の「台湾侵攻」と同時に、日本にも一気に畳み込んでくると思われる。

最近、「日本はアメリカに見捨てられる」という論調が多く出てくるが、そんなことは「ＧＨＱ／General Headquarters（連合国軍最高司令官総司令部）」の時代から同じで、当時のアメリカが保有する原爆19発で、日本人を全て蒸発させ根絶やしにするはずが、昭和天皇の「玉音放送」で台無しになった経緯がある。

そこでマッカーサーは、「ＷＧＩＰ／War Guilt Information Program（戦争罪悪感プログラム）」で日本人を骨抜きにし、朝鮮民族を戦勝国民にすることで在日による日本統治に成功する。

代わって「アメリカ大使館（極東ＣＩＡ本部）」は、天皇陛下をコリアン（秋篠宮家）と入れ替え、自民党（河野太郎）による外国人を大量導入し日本国籍にする法案の強行採決により、大和民族そのものの遺伝子を消滅させる計画である。

中国にとって渡りに船は、「国連憲章107条」の敵国条項のまま置かれている日本を、国連憲章違反で叩き潰せることで、その中国をアメリカが誘導している。

既に、ビル・ゲイツのゲノム溶液接種で日本人の1億人以上の死が確定した今、残りの2千数百万人も皆殺しにし、そのために中国の核で日本人を一掃させれば、アメリカのロックフェラーとイギリスのロスチャイルドは枕を高くして眠ることができる算段である。

stay alive 42

超弩級津波（ハルマゲドン津波）が中国沿岸を襲ったら中国艦隊は全滅か⁉

これはあくまで推測であることを先に述べさせていただく。

今、「南海トラフ地震」が近いとされる中、NHKも『南海トラフ巨大地震』を前後編でドラマ化、さらに特別編で「半割れ」の恐怖を伝えていた。

「トラフ」とは、海溝より浅く幅広の海底溝状地形をいい、「南海トラフ」は「南海」

「東南海」「東海」の3ブロックの震源域を持っている。

もちろん、太平洋岸だけではなく、「南海トラフ地震」が起きたら反対側の日本海側もただでは済まず、過去の記録でも地震と津波が起きている。

「南海トラフ地震」は100〜150年間隔で起きており、「西の半割れ」の場合の死者は10万2000人、「東の半割れ」では死者8万4000人にのぼり、過去の災害を大幅に上回る事態になる。

過去の「南海トラフ地震」を列挙すると、684年の「白鳳地震」、887年の「仁和地震」、1096年の「永長地震」、1361年の「正平（康安）地震」、1498年の「明応地震」、1707年の「宝永地震」、1854年の「安政地震」、1944&1946年の「昭和地震」がある。

江戸時代に起きた「宝永地震」の際、同年の12月に富士山が大噴火しており、今回の「南海トラフ地震」に「富士山」の噴火が連動するかもしれない。

で、ここで予測するのは「南海トラフ地震」ではなく、その前段階である「フィリピン海プレート」の北上に伴う「琉球海溝」の動きと、北側を走る「沖縄トラフ」の塊が一気にズレる場合に起きる〝超弩級地震〟の可能性である。

「台湾」は、「ユーラシアプレート」に西半分を乗せ、「フィリピン海プレート」に東半分を乗せていることから、フィリピン海プレートの北上で起きる「プレート境界型地震」が不定期に発生する。

そこで一つ気になることがあり、中国海軍の寄港地を調べてみると「北海艦隊司令部」の港が青島（チンタオ）に、「東海艦隊司令部」の港が遼寧（リャンネイ）に、「南海艦隊司令部」の港が湛（タン）江（コウ）にあり、中国の広大な面積に占める割合から見た海岸線は、東端のわずかしかなく、そこに人民解放軍の全艦隊が停泊している。

仮にフィリピン海溝で、２０１１年3月11日に起きた「東北地方太平洋沖地震」か、それ以上の「プレート境界型地震」が勃発した場合、大津波が一斉にユーラシア大陸の大陸棚に向かって襲い掛かる事態になる。

いみじくも、南海、東南海、東海の3ブロックが「南海トラフ」なら、中国海軍の「南海艦隊」「東海艦隊」「北海艦隊」もほぼ等間隔に並び、そこに寄港する中国海軍の艦艇が、空母を含め大陸棚を駆け上がる「超弩級津波（ハルマゲドン津波）」に襲われると、ほぼ全滅すると推測できる。

あくまで仮の話だが、「東北地方太平洋沖地震」クラスの津波が、大陸棚を駆け上がると高さ50メートルほどになり、中国沿岸に押し寄せたら最後、空母を含むほとんどの停泊中の中国艦船は破壊か陸に押し上げられ、中国海警局の船舶と中国海巡の艦船も次々に転覆するだろう。

この一帯にしか中国の海岸はなく、港もないため、「プレート境界型地震」では中国共産党の陸上施設を含むミサイル基地も壊滅するが、果たして「南海トラフ地震」より前に「琉球海溝」を含む「沖縄トラフ」で巨大地震が発生するだろうか？

飛鳥昭雄　あすか あきお
1950（昭和25）年大阪府生まれ。企業にてアニメーション、イラスト＆デザイン業務に携わるかたわら、漫画を描き、1982年漫画家として本格デビューする。
漫画作品として『恐竜の謎・完全解明』（小学館）等、作家として『失われた極東エルサレム「平安京」の謎』（学研）等多数。小説家として、千秋寺京介（せんしゅうじきょうすけ）の名で『怨霊記シリーズ』（徳間書店）等を発表。
現在、サイエンスエンターテイナーとして、TV、ラジオ、ゲームでも活動中。

【在日(日本人名)】による日本ステルス支配の構造

GHQが始めた究極の乗っ取り

第一刷 2023年10月31日
第二刷 2024年11月11日

著者 飛鳥昭雄

発行人 石井健資
発行所 株式会社ヒカルランド
〒162-0821 東京都新宿区津久戸町3-11 TH1ビル6F
電話 03-6265-0852 ファックス 03-6265-0853
http://www.hikaruland.co.jp info@hikaruland.co.jp
振替 00180-8-496587

本文・カバー・製本 中央精版印刷株式会社
DTP 株式会社キャップス
編集担当 Takeco/utoi

ISBN978-4-86742-307-3

みらくる出帆社
ヒカルランドの

イッテル本屋

ヒカルランドの本がズラリと勢揃い！

みらくる出帆社ヒカルランドの本屋、その名も【イッテル本屋】手に取ってみてみたかった、あの本、この本。ヒカルランド以外の本はありませんが、ヒカルランドの本ならほぼ揃っています。本を読んで、ゆっくりお過ごしいただけるように、椅子のご用意もございます。ぜひ、ヒカルランドの本をじっくりとお楽しみください。

ネットやハピハピ Hi-Ringo で気になったあの商品…お手に取って、そのエネルギーや感覚を味わってみてください。気になった本は、野草茶を飲みながらゆっくり読んでみてくださいね。

〒162-0821　東京都新宿区津久戸町 3-11 飯田橋 TH1 ビル 7F　イッテル本屋

自然の中にいるような心地よさと開放感が あなたにキセキを起こします

元氣屋イッテルの１階は、自然の生命活性エネルギーと肉体との交流を目的に創られた、奇跡の杉の空間です。私たちの生活の周りには多くの木材が使われていますが、そのどれもが高温乾燥・薬剤塗布により微生物がいなくなった、本来もっているはずの薬効を封じられているものばかりです。元氣屋イッテルの床、壁などの内装に使用しているのは、すべて45℃のほどよい環境でやさしくじっくり乾燥させた日本の杉材。しかもこの乾燥室さえも木材で作られた特別なものです。水分だけがなくなった杉材の中では、微生物や酵素が生きています。さらに、室内の冷暖房には従来のエアコンとはまったく異なるコンセプトで作られた特製の光冷暖房機を採用しています。この光冷暖は部屋全体に施された漆喰との共鳴反応によって、自然そのもののような心地よさを再現。森林浴をしているような開放感に包まれます。

みらくるな変化を起こす施術やイベントが 自由なあなたへと解放します

ヒカルランドで出版された著者の先生方やご縁のあった先生方のセッションが受けられる、お話が聞けるイベントを不定期開催しています。カラダとココロ、そして魂と向き合い、解放される、かけがえのない時間です。詳細はホームページ、またはメールマガジン、SNSなどでお知らせします。

ソマチッド

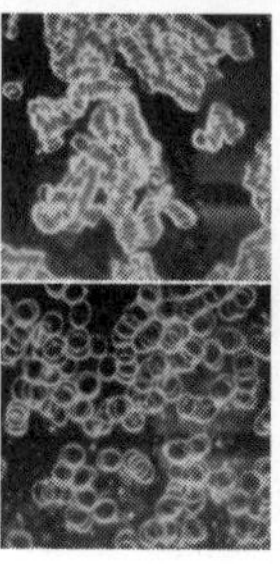

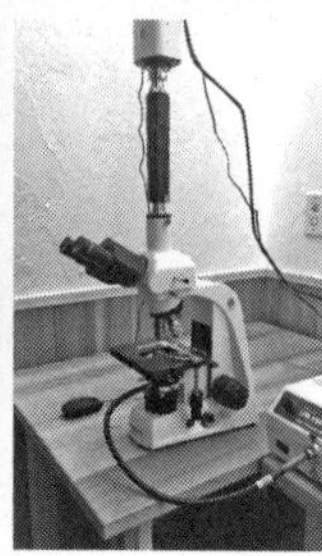

暗視顕微鏡を使って、自分の体内のソマチッドを観察できます。どれだけいるのか、元気なのか、ぐったりなのか？　その時の自分の体調も見えてきます。

A. ワンみらくる（1回）　1,500円
B. ツーみらくる
（セラピーの前後比較の2回）　3,000円
C. とにかくソマチッド
（ソマチッド観察のみ、波動機器セラピーなしの1回）　3,000円

※ A、B は 5,000 円以上の波動機器セラピーをご利用の方限定

【フォトンビーム×タイムウェーバー】

フォトンビーム開発者である小川陽吉氏によるフォトンビームセミナー動画（約 15 分）をご覧いただいた後、タイムウェーバーでチャクラのバランスをチェック、またはタイムウェーバーで経絡をチェック致します。

ご自身の気になる所、バランスが崩れている所にビームを 3 か所照射。

その後タイムウェーバーで照射後のチャクラバランスを再度チェック致します。
※追加の照射：3,000 円 /1 照射につき

ご注意
・ペットボトルのミネラルウォーターをお持ちいただけたらフォトンビームを照射致します。

3照射　18,000円（税込）
所要時間：30〜40分

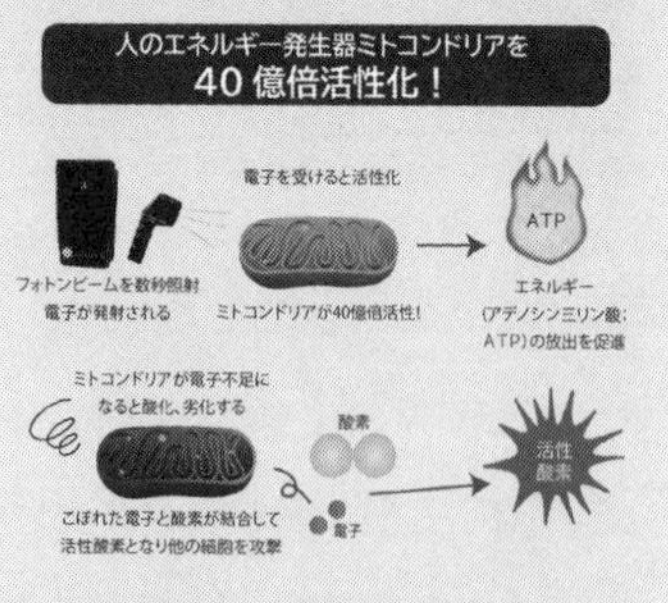

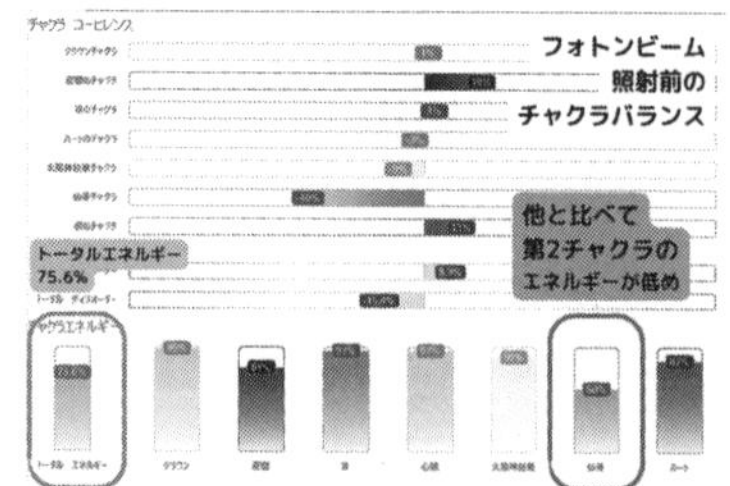

ハピハピ《ヒーリングアーティス》宣言！

元氣屋イッテル（神楽坂ヒカルランドみらくる：癒しと健康）では、触覚、聴覚、視覚、嗅（きゅう）覚、味覚の五感を研ぎすませることで、健康なシックスセンスの波動へとあなたを導く、これまでにないホリスティックなセルフヒーリングのサロンを目指しています。ヒーリングは総合芸術です。あなたも一緒にヒーリングアーティストになっていきましょう。

AWG ORIGIN®

電極パットを背中と腰につけて寝るだけ。生体細胞を傷つけない69種類の安全な周波数を体内に流すことで、体内の電子の流れを整え、生命力を高めます。体に蓄積した不要なものを排出して、代謝アップに期待！ 体内のソマチッドが喜びます。

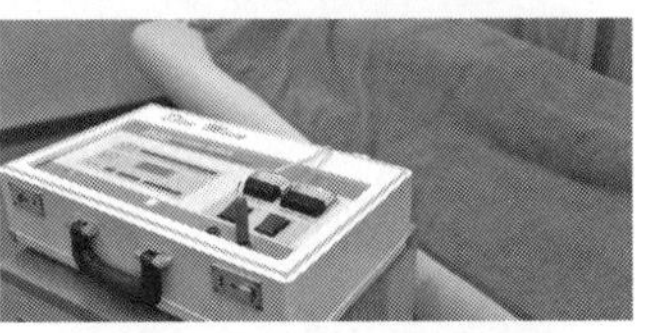

A. 血液ハピハピ&毒素バイバイコース
（60分）8,000円

B. 免疫 POWER UP バリバリコース
（60分）8,000円

C. 血液ハピハピ&毒素バイバイ＋
免疫 POWER UP バリバリコース
（120分）16,000円

D. 脳力解放「ブレインオン」併用コース
（60分）12,000円

E. AWG ORIGIN®プレミアムコース
（9回）55,000円
（60分×9回）各回8,000円

プレミアムメニュー

①血液ハピハピ&毒素バイバイコース
②免疫 POWER UP バリバリコース
③お腹元気コース
④身体中サラサラコース
⑤毒素やっつけコース
⑥老廃物サヨナラコース
⑦⑧⑨スペシャルコース

※２週間～１か月に１度、通っていただくことをおすすめします。

※Eはその都度のお支払いもできます。　※180分／24,000円のコースもあります。
※妊娠中・ペースメーカーをご使用の方にはご案内できません。

音響チェア

音響免疫理論に基づいてつくられた音響チェア。音が背髄に伝わり体中の水分と共鳴することで、身体はポカポカ、細胞は元気に。心身ともにリラックスします。

A. 自然音Aコース　　（60分）10,000円
B. 自然音Bコース　　（60分）10,000円
C. 自然音A＋自然音B（120分）20,000円

お得な複数回チケットも！

3回チケット／24,000円
5回チケット／40,000円
10回チケット／80,000円＋1回無料

不思議・健康・スピリチュアルファン必読！
ヒカルランドパークメールマガジン会員とは??

ヒカルランドパークでは無料のメールマガジンで皆さまにワクワク☆ドキドキの最新情報をお伝えしております！　キャンセル待ち必須の大人気セミナーの先行告知／メルマガ会員だけの無料セミナーのご案内／ここだけの書籍・グッズの裏話トークなど、お得な内容たっぷり。下記のページから簡単にご登録できますので、ぜひご利用ください！

◀ヒカルランドパークメールマガジンの登録はこちらから

ヒカルランドの新次元の雑誌「ハピハピ Hi-Ringo」
読者さま募集中！

ヒカルランドパークの超お役立ちアイテムと、「Hi-Ringo」の量子的オリジナル商品情報が合体！　まさに“他では見られない”ここだけのアイテムや、スピリチュアル・健康情報満載の１冊にリニューアルしました。なんと雑誌自体に「量子加工」を施す前代未聞のおまけ付き☆持っているだけで心身が“ととのう”声が寄せられています。巻末には、ヒカルランドの最新書籍がわかる「ブックカタログ」も付いて、とっても充実した内容に進化しました。ご希望の方に無料でお届けしますので、ヒカルランドパークまでお申し込みください。

量子加工済み♪

Vol.8 発行中！

ヒカルランドパーク
メールマガジン＆ハピハピ Hi-Ringo お問い合わせ先

- お電話：03－6265－0852
- FAX：03－6265－0853
- e-mail：info@hikarulandpark.jp

・メルマガご希望の方：お名前・メールアドレスをお知らせください。
・ハピハピHi-Ringoご希望の方：お名前・ご住所・お電話番号をお知らせください。

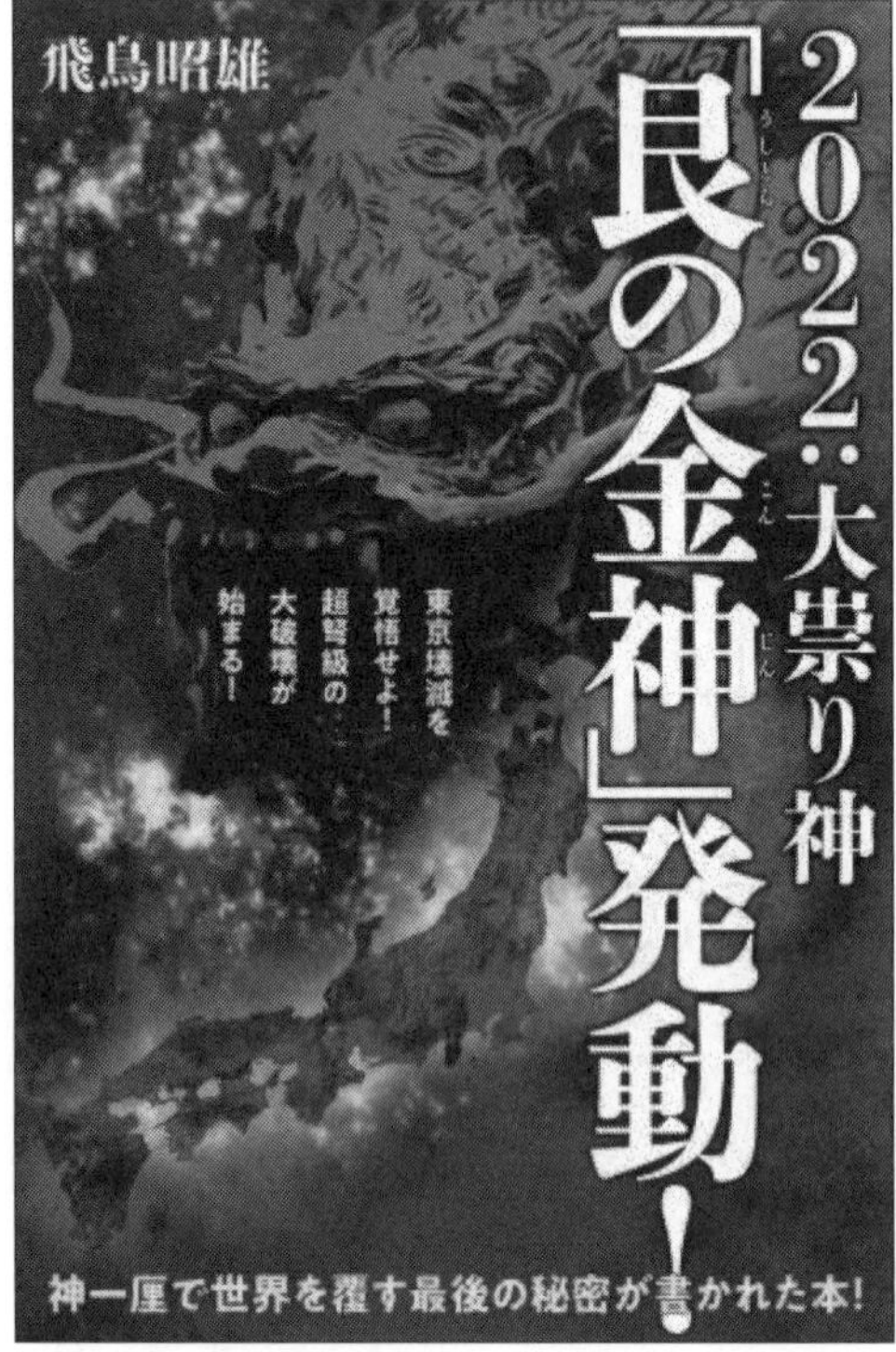
飛鳥昭雄
2022：大祟り神「艮の金神」発動！
東京壊滅を覚悟せよ！超弩級の大破壊が始まる！
神一厘で世界を覆す最後の秘密が書かれた本！

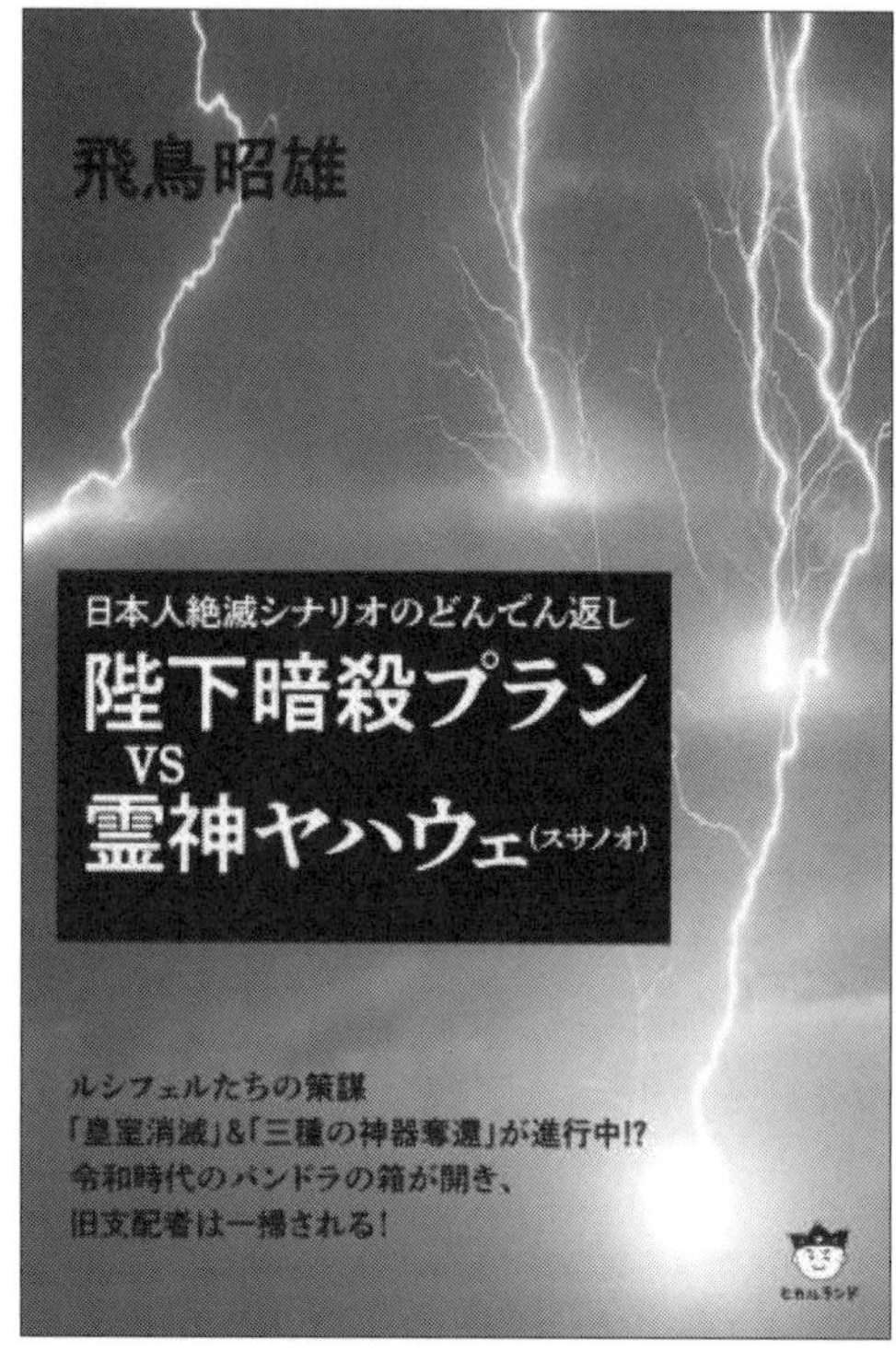
飛鳥昭雄
日本人絶滅シナリオのどんでん返し
陛下暗殺プラン
VS
霊神ヤハウェ(スサノオ)
ルシフェルたちの策謀
「皇室消滅」&「三種の神器奪還」が進行中!?
令和時代のパンドラの箱が開き、
旧支配者は一掃される!
ヒカルランド